Éditrice : Caty Bérubé
Chef d'équipe production éditoriale : Crystel Jobin-Gagnon
Chef d'équipe rédactrices en chef et chargées de contenus : Laurence Roy-Tétreault
Chargée de contenus : Geneviève Boisvert
Auteurs : collectif
Rédactrices : Miléna Babin, Stéphanie Boisvert, Josée D'Amour, Maude Gagnon et Raphaële St-Laurent Pelletier.
Chef d'équipe révision et assistance : Marie-Christine Bédard
Assistante à la production : Catherine Fortier
Réviseures : Edmonde Barry, Joanie Boutin, Stacy Breton, Émilie Marcotte et Viviane St-Arnaud.
Chefs d'équipe production graphique : Marie-Christine Langlois et Annie Gauthier.
Conceptrices graphiques : Sonia Barbeau, Sheila Basque, Marie-Chloé G. Barrette, Karyne Ouellet et Josée Poulin.
Directrice du studio : Christine Morin
Chefs cuisiniers : Benoit Boudreau (chef d'équipe), Richard Houde et Alexandra Roy.
Stylistes culinaires : Geneviève Charron, Alexandra Guévin Thibault, Maude Grimard et Joséphine St-Laurent Pelletier.
Photographes : Jean-Christophe Blanchet, Michaël Fournier, Rémy Germain, Marie-Ève Lévesque (chef d'équipe) et Thierry Pateau.
Photographes et vidéastes : Tony Davidson et Francis Gauthier.
Spécialiste en traitement d'images et calibration photo : Yves Vaillancourt
Collaborateurs : Vincent Bernard et Céline Guérin.

MISE EN MARCHÉ
Directeur de la distribution : Marcel Bernatchez
Chef d'équipe logistique et entrepôt : Valérie Boivin
Responsable territoire : Lise Fortin
Commis d'entrepôt : Nancy Arteau et Normand Simard.
Distribution : Pratico-Pratiques inc. et Messageries ADP.
Impression : TC Interglobe

ADMINISTRATION
Présidente : Caty Bérubé
Vice-présidente opérations : Julie Doddridge
Vice-présidente ventes et marketing : Émilie Gagnon
Vice-présidente administration : Alexandra Poiré
Directrice des ressources humaines : Chantal St-Pierre
Adjointe à la comptabilité et à la production : Carole Bélanger
Technicienne comptable : Sylvie Dion
Agente aux comptes recevables : Josée Pouliot
Coordonnatrice de bureau : Josée Lavoie

Dépôt légal : 3e trimestre 2021
Bibliothèque et Archives nationales du Québec
Bibliothèque et Archives Canada
ISBN 9782896589579

Gouvernement du Québec. Programme de crédit d'impôt pour l'édition de livres – Gestion SODEC

Canada

PRATICO ÉDITION

7710, boulevard Wilfrid-Hamel, Québec (QC) G2G 2J5
Tél. : 418 877-0259
Sans frais : 1 866 882-0091
Téléc. : 418 780-1716
www.pratico-pratiques.com
Commentaires et suggestions : info@pratico-pratiques.com

AVEC

MIJOTEUSE

Les meilleures recettes au monde

TOME 2

88 recettes testées et approuvées par des familles d'ici

Table des matières

La mijoteuse : là pour rester !

Je me souviens encore du premier numéro consacré aux plats mijotés que nous avons publié. Cela fait maintenant plus de dix ans. Bien que certains aient cru, à l'époque, que la mijoteuse serait une tendance parmi tant d'autres, l'héritière de la casserole en fonte nous a prouvé maintes fois qu'elle est indispensable en cuisine. La pandémie me l'a rappelé de plus belle, surtout pendant le premier confinement : nous avons beaucoup cuisiné avec la mijoteuse en famille, multipliant les signets déposés entre les pages du premier tome de ce livre... et les redécouvertes culinaires ! Le télétravail m'a aussi permis de cuisiner des recettes qui requièrent plusieurs étapes ou d'autres qui nécessitent moins de 8 heures de cuisson : en étant à la maison, il est vraiment facile d'ajouter des ingrédients dans l'appareil en cours de journée ou de démarrer la machine sur l'heure du midi en prévision du souper.

Ce deuxième ouvrage s'inscrit dans la suite logique de son prédécesseur. Nous vous présentons des recettes simples, accessibles et savoureuses, et ce, en utilisant le même procédé : toutes les recettes ont été testées en studio, retestées par des familles à la maison, et parfois même testées une troisième fois, si on jugeait qu'une rectification était nécessaire. C'est vraiment l'élément distinctif de ce livre, nous assurant que chaque recette fonctionne bien et qu'au goût, elle frôle la perfection ! Surtout, en utilisant cette méthode, on recueille les avis et les commentaires de plusieurs gourmands, nous permettant ainsi de bonifier les recettes en fonction de ceux-là. En d'autres mots, au terme du processus, chaque recette est une valeur sûre !

J'espère que vous aimerez découvrir les nouvelles recettes que nous avons minutieusement mises au point afin de tirer profit de cet appareil sauve-la-vie qu'est la mijoteuse. Des mijotés à base de viande aux repas végé, en passant par les soupes, les desserts et même le pain (une belle découverte pour moi), je vous souhaite une agréable popote !

Caty

Toujours merveilleuse, **la mijoteuse !**

Ses preuves étant faites depuis belle lurette, la mijoteuse est aujourd'hui l'alliée parfaite en cuisine au sein des familles québécoises. Des savoureux mijotés aux desserts chocolatés en passant par le pain, le yogourt et la viande effilochée, cette petite machine à tout faire nous offre un monde de découvertes à explorer. Afin de parfaire votre maîtrise de cet appareil extraordinaire, on vous propose ce dossier étoffé, rempli de conseils et d'astuces futées.

La mijoteuse n'a pas fini de vous impressionner !

La mijoteuse, cet appareil tout indiqué pour concocter des plats en sauce et des soupes savoureuses, peut être utilisée pour préparer un tas de mets autres que les mijotés traditionnels. Du pain assaisonné au gâteau épicé en passant par la croustade aux fruits et la pizza toute garnie, ce charmant appareil facile à utiliser a tout ce qu'il faut pour devenir votre meilleur allié. Qui aurait cru que l'on pouvait s'en servir pour concocter son propre yogourt, pour y faire cuire un brie fondant ou pour faire un biscuit au chocolat géant ? Face à cette multitude de possibilités, ça vaut réellement la peine d'oser !

Si on a tendance à associer la mijoteuse aux recettes qui contiennent de la viande, comme les ragoûts, les chilis et la sauce à spaghetti, il faut savoir qu'il s'agit aussi de l'appareil rêvé pour explorer la cuisine végé. Tofu, lentilles, pois chiches, haricots et légumes en tout genre font des merveilles pour des mijotés végé sans pareils. Et parce qu'elles offrent une explosion de saveurs à chaque bouchée, les recettes à la mijoteuse sont parfaites pour s'initier aux protéines végétales que l'on craint parfois d'essayer. Avouez que vous n'y aviez pas pensé !

Découvrez nos délicieuses recettes végé aux pages 116 à 135 !

Choisir sa mijoteuse : les points à considérer

En raison de son immense popularité, on trouve aujourd'hui une très grande variété de mijoteuses sur le marché. Comment s'y retrouver et choisir la sienne de manière futée ? Voici les principaux éléments dont vous devriez tenir compte.

- **Taille.** On trouve des appareils de différentes grandeurs, généralement de 2, 4, 6 et 8 litres. Si le format de 4 litres (16 tasses) convient très bien pour une ou deux personnes, les modèles de 6 litres (24 tasses) sont davantage destinés aux familles. Enfin, les appareils à capacité de 6 et de 8 litres sont à privilégier pour la cuisson de grosses pièces de viande, comme le poulet ou les rôtis.
- **Forme.** Afin de pouvoir y cuire de longues pièces de viande, les mijoteuses dotées de récipients de forme ovale sont à préférer à celles de forme ronde.
- **Modes de cuisson.** Une mijoteuse devrait idéalement être programmable, en plus d'être munie d'une minuterie et d'une fonction réchaud qui s'actionne automatiquement une fois la cuisson terminée, ce qui conserve la nourriture à une température sécuritaire lorsqu'on démarre la cuisson avant de partir au travail, par exemple. Une bonne mijoteuse doit aussi posséder un mode de cuisson à haute (300 °F) et à faible (200 °F) intensité.
- **Fonctions.** Les appareils offrent désormais de nombreuses fonctions additionnelles. À vous de déterminer lesquelles sont pertinentes pour l'utilisation que vous ferez de votre petite machine !
- **Couvercle.** On doit absolument opter pour une mijoteuse dotée d'un couvercle étanche afin de réduire les risques de gâchis. Les couvercles en verre sont aussi à privilégier pour pouvoir garder un œil sur ce qui mijote !

Les aliments à privilégier... et ceux qu'il vaut mieux éviter !

La cuisson lente offre un avantage de taille : celui de permettre à la viande et aux légumes de s'attendrir et aux saveurs de se décupler. Si les découpes tendres comme le filet mignon et les légumes verts ne sont pas recommandées pour une telle cuisson, les pièces de viande plus coriaces, les légumes-racines et les légumineuses sont des candidats de choix ! Référez-vous à ce qui suit pour faire des choix éclairés.

Légumes parfaits à tout coup !

Voici un aide-mémoire des temps de cuisson des légumes à la mijoteuse.

3 heures et plus	De 2 à 3 heures	De 15 à 30 minutes	À ajouter en fin de cuisson seulement
Carottes	Aubergines	Asperges	Bok choys
Haricots secs	Choux	Brocolis	Champignons
Oignons	Fèves	Chou-fleur	Épinards, kale, etc.
Navets	Poivrons	Courgettes	Maïs
Panais			Pois mange-tout, pois verts
Patates douces			Tomates
Pommes de terre			

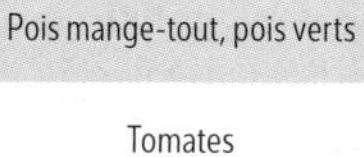

Dans tous les cas, pour vous assurer d'une cuisson uniforme, prenez soin de couper vos légumes afin qu'ils aient une taille similaire !

Protéines : les meilleures coupes

Pour la viande rouge, comme le **bœuf** et le **veau**, on peut opter pour les rôtis (d'épaule, de côtes croisées, de palette), les cubes à ragoût, les jarrets, la poitrine et la pointe de poitrine désossée, la joue et le bœuf haché maigre. Si on souhaite cuisiner le **porc**, on se tournera vers l'épaule (palette ou picnic), les jarrets, les côtes de flanc ou de dos, le jambon, la longe, les cubes d'épaules ou de fesses, les côtelettes de longe, la joue, les côtes levées ou le porc haché maigre. Finalement, dans le cas de la **volaille**, on préférera les poulets entiers, les cuisses, les hauts de cuisses ou encore la viande hachée maigre.

Riz, couscous, pâtes et compagnie : nos trucs pour un succès garanti !

Vos expériences avec le riz à la mijoteuse ne sont pas glorieuses ? Pourtant, quand on sait comment bien s'y prendre, les résultats peuvent facilement dépasser nos attentes. Pour ce qui est du **riz**, optez pour les variétés étuvées à grains longs ou arborio : plus longs à cuire, ils absorbent tranquillement la saveur des aliments. Ajoutez-les dès le début de la cuisson en prévoyant la même quantité de liquide que de riz. Pour les mijotés qui contiennent du **couscous**, il faut au contraire ne l'ajouter qu'en fin de cuisson afin d'éviter qu'il ne devienne gluant. Séparez bien les grains à l'aide d'une fourchette une fois qu'il est à point. C'est la même chose pour les **pâtes alimentaires** : incorporez-les à vos recettes environ 15 à 20 minutes avant la fin de la cuisson.

Risotto tout beau !

Vous peinez à réussir votre risotto, faute de temps (ou de patience !) pour le remuer constamment ? La mijoteuse est votre sauveuse ! Sa cuisson lente permettant une meilleure absorption du liquide, vous n'aurez qu'à remuer une seule fois à mi-cuisson. On vous offre une recette exquise simple comme bonjour à la page 174 !

Alléger les mijotés les yeux fermés !

Comfort food par excellence, les plats mijotés sont souvent surchargés en calories et en matières grasses. Pour se régaler sans trop s'en faire pour sa ligne, voici quelques astuces bien malines.

- Privilégiez les protéines maigres, comme le veau, la volaille, les filets de porc, le tofu ou encore les légumineuses.
- Misez sur des recettes qui contiennent de bonnes quantités de légumes.
- Retirez l'excédent de gras de la viande et la peau de la volaille.
- Faites saisir votre viande dans la poêle et épongez l'excédent de gras à l'aide de papier absorbant.
- À l'aide d'une cuillère ou de papier absorbant, dégraissez le bouillon à la fin de la cuisson.
- Troquez la crème contre un mélange laitier réduit en matières grasses ou un mélange végétal (de type Belsoy).

De merveilleux pains en un tour de main

Compliqué, faire son propre pain ? Pas quand on a une mijoteuse sous la main ! Voici quelques conseils pour une miche bien alvéolée.

- Pour de meilleurs résultats, optez pour de la levure instantanée.
- Ne manipulez pas trop la pâte.
- Pour éviter que la pâte ne colle au récipient de votre mijoteuse, huilez-le ou tapissez-le de papier parchemin.
- Afin de conserver un maximum de chaleur, ne soulevez pas le couvercle en cours de cuisson.
- Une fois la cuisson terminée, laissez reposer votre pain à température ambiante avant de le trancher.

Des produits laitiers à la mijoteuse ? Oui, si ajoutés au bon moment !

Peu résistants à la cuisson de longue durée, la crème et le lait risquent de cailler s'ils sont incorporés trop tôt aux mijotés. La solution? On les ajoute environ 30 minutes avant la fin de la cuisson. On peut également opter pour du lait évaporé non sucré, qui est mieux adapté aux cuissons prolongées. Pour ce qui est du yogourt, il a tendance à se séparer lorsqu'il est chauffé, donc on l'ajoute lui aussi en fin de cuisson. On peut également le mélanger à un peu de farine ou de fécule de maïs pour empêcher la formation de grumeaux.

Quand le secret est dans la sauce !

Trop liquide, trop épaisse : la réussite d'une recette repose bien souvent sur l'état de la sauce dans laquelle elle a fait trempette! Prenez garde à ne pas ajouter trop de liquide dans votre mijoteuse afin d'éviter que les saveurs ne soient diluées. Si c'est le cas, il est possible d'épaissir la sauce de plusieurs façons, soit:

- **En y ajoutant de la fécule de maïs:** délayez 10 ml (2 c. à thé) dans un peu de bouillon, d'eau ou de jus, portez le mijoté à ébullition, puis versez-y le mélange en remuant.
- **En y ajoutant du beurre manié:** mélangez 15 ml (1 c. à soupe) de beurre avec la même quantité de farine, puis ajoutez la préparation au mijoté en ébullition jusqu'à ce que vous obteniez la consistance souhaitée.
- **Avec des épaississants instantanés:** vendus spécialement pour la sauce blanche ou pour la sauce brune, ajoutez-les directement au mijoté en ébullition selon les indications de l'emballage.

Au contraire, si votre mijoté est trop épais, il suffit de le diluer en ajoutant du bouillon, de l'eau ou du jus.

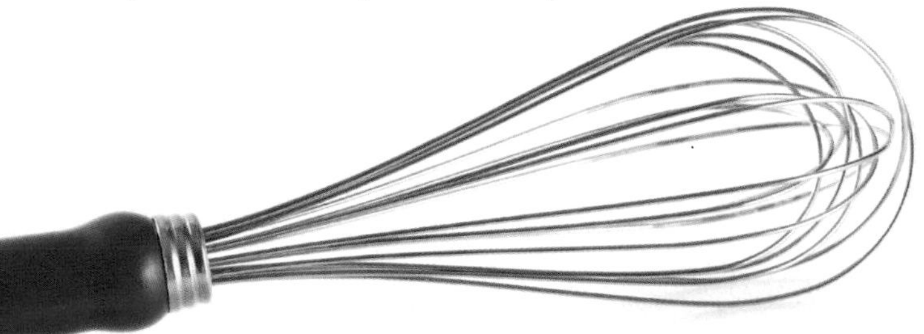

Tellement bon, le bouillon maison

Votre recette nécessite du bouillon? Avec la mijoteuse, c'est si simple de le faire maison! En plus d'être plus savoureuse et parfumée, notre recette maison est également moins grasse et moins salée que les produits du commerce, et donc bien meilleure pour la santé. Profitez-en pour faire des provisions que vous pourrez congeler!

Voyez notre recette de bouillon de poulet à la page 162!

Les petits gestes qui font toute la différence

On dit qu'il suffit parfois d'un seul faux pas pour gâcher tout un plat, mais en posant les bons gestes, le succès de nos recettes est plus facile que l'on croit!

1 **Préchauffage.** Versez environ 2,5 cm (1 po) d'eau dans le récipient de votre mijoteuse et faites-la préchauffer. Jetez l'eau, puis entamez la cuisson de votre recette.

2 **Parez la viande.** Afin d'alléger vos plats, mais aussi pour éviter de surcuire la chair de la viande (la graisse ayant tendance à emmagasiner la chaleur), il est primordial de dégraisser vos pièces de viande et de retirer la peau de votre volaille avant de procéder à leur cuisson.

3 **Au sel!** On recommande de saler la viande quelques heures avant de la faire dorer dans la poêle afin qu'elle puisse conserver ses jus au maximum au cours de sa cuisson à la mijoteuse.

4 **Assaisonnement tardif.** Pour éviter que les parfums délicats des fines herbes et des épices ne soient altérés par la cuisson prolongée, mieux vaut les ajouter lors des 30 dernières minutes de la cuisson.

5 **Liquide: le compas dans l'œil!** La cuisson à la mijoteuse engendre beaucoup de condensation, et comme le couvercle de l'appareil est très étanche, il n'y a aucune évaporation. Il importe donc de ne pas trop ajouter de liquide à vos recettes, à moins de désirer obtenir une sauce très claire ou un débordement... Par contre, si vous ne mettez pas assez de liquide, les aliments pourraient considérablement s'assécher, voire se caraméliser au fond du récipient.

6 **Le bon niveau.** Pour éviter que votre plat ne brûle ou ne déborde, assurez-vous que votre mijoteuse est remplie jusqu'à au moins la moitié et jamais plus qu'aux deux tiers.

7 **On ne touche pas au couvercle!** Chaque fois que l'on soulève le couvercle de la mijoteuse, la perte de chaleur engendrée nécessite que l'on ajoute 30 minutes de cuisson supplémentaires. Mieux vaut s'abstenir!

8 **Jamais de viande congelée.** Faites toujours décongeler viande, volaille, poissons et fruits de mer avant de les déposer dans la mijoteuse, sinon ils seront trop longtemps à une température risquée pour la prolifération des bactéries.

9 **Un petit tour dans la poêle.** Sans être essentiel, faire dorer la viande de chaque côté et faire revenir oignon, ail et autres légumes dans la poêle avant la cuisson permet d'obtenir des textures plus intéressantes et des aliments nettement plus savoureux!

NOTE:

Petit guide pratique pour adapter ses recettes à la mijoteuse

Ce que l'on aime de la mijoteuse, c'est sa polyvalence. En effet, presque toutes nos recettes préférées peuvent y être cuisinées. Pour y arriver, il suffit de respecter quelques principes peu compliqués.

- Contrairement à la cuisson au four ou sur la cuisinière, il n'y a pas d'évaporation avec la mijoteuse : il faut donc **diminuer de moitié la quantité de liquide** de la recette originale.
- Le temps de cuisson doit également être ajusté. Considérant que la cuisson à intensité élevée d'une mijoteuse correspond à environ 150 °C (300 °F) et le mode à faible intensité à environ 90 °C (200 °F), voici un tableau pour faciliter la conversion :

Cuisson traditionnelle	Mijoteuse à intensité élevée	Mijoteuse à faible intensité
De 15 à 30 minutes	De 1 à 2 heures	De 4 à 6 heures
De 35 minutes à 1 heure	De 2 à 3 heures	De 5 à 7 heures
De 1 à 2 heures	De 3 à 4 heures	De 6 à 8 heures

Comment doubler les recettes ?

La majorité des recettes peuvent facilement être doublées pour pouvoir nourrir de plus grandes tablées, mais il ne suffit pas de multiplier par deux toutes les quantités ! De manière générale, on ne double que les portions de viande, de légumes, de fines herbes et d'épices, mais on n'augmentera que de 50 % la quantité de liquide. Attention à ne pas trop remplir votre mijoteuse !

Pour chacune des recettes présentées dans ce livre, nous vous indiquons quel format de mijoteuse nous avons utilisé. Puisque chaque mijoteuse est différente et que la cuisson peut varier d'environ une heure d'un modèle à l'autre, nous vous recommandons de surveiller la cuisson de votre cette recette afin qu'elle cuise comme vous le souhaitez. Bon appétit !

8 heures
et plus

C’est tellement agréable d’arriver à la maison et de se délecter d’un plat qui a cuit toute la journée, comme un poulet cacciatore aux effluves allé-chants ou un délicieux mijoté de veau au pesto. Généreux et réconfortants, les plats qui suivent sont destinés à être mitonnés afin de laisser le temps aux saveurs de se développer pleinement.

PAR PORTION	
Calories	614
Protéines	31 g
M.G.	41 g
Glucides	33 g
Fibres	3 g
Fer	4 mg
Calcium	143 mg
Sodium	961 mg

Boulettes de dinde au cari rouge

Préparation **25 minutes** / Cuisson à faible intensité **8 heures** / Quantité **4 portions**

15 ml (1 c. à soupe) d'huile de sésame

15 ml (1 c. à soupe) de fécule de maïs

30 ml (2 c. à soupe) de feuilles de coriandre fraîche hachées

60 ml (¼ de tasse) d'arachides hachées

Pour la sauce :

1 boîte de lait de coco de 398 ml (de type Haiku)*

125 ml (½ tasse) d'échalotes sèches (françaises) hachées

125 ml (½ tasse) de bouillon de poulet

30 ml (2 c. à soupe) de sauce soya

30 ml (2 c. à soupe) de pâte de cari rouge

30 ml (2 c. à soupe) de pâte de tomates

15 ml (1 c. à soupe) de gingembre haché

15 ml (1 c. à soupe) d'ail haché

5 ml (1 c. à thé) de sriracha

2 tiges de citronnelle

Sel au goût

Pour les boulettes :

450 g (1 lb) de dinde hachée

125 ml (½ tasse) de chapelure nature

125 ml (½ tasse) d'échalotes sèches (françaises) hachées

30 ml (2 c. à soupe) de gingembre râpé

15 ml (1 c. à soupe) d'ail haché

15 ml (1 c. à soupe) de pâte de cari rouge

5 ml (1 c. à thé) de poudre de cari

1 œuf

Sel et poivre au goût

1. Dans une grande mijoteuse, mélanger les ingrédients de la sauce.

2. Dans un bol, mélanger les ingrédients des boulettes. Façonner douze boulettes en utilisant environ 45 ml (3 c. à soupe) de préparation pour chacune d'elles.

3. Dans une poêle, chauffer l'huile à feu moyen. Faire dorer les boulettes sur toutes les faces de 2 à 3 minutes.

4. Transférer les boulettes dans la mijoteuse et remuer afin de bien les enrober de sauce.

5. Couvrir et cuire 8 heures à faible intensité.

6. Environ 15 minutes avant la fin de la cuisson, mélanger la fécule de maïs avec un peu d'eau froide dans un bol. Incorporer la fécule délayée dans la mijoteuse en remuant délicatement.

7. Au moment de servir, parsemer de coriandre et d'arachides.

Marie-Pier et son *chum* Alex forment une toute petite famille avec leur chat et leur chien. À l'occasion, ils aiment sortir la mijoteuse pour s'offrir un petit *break* de cuisine et profiter d'un repas tout prêt et tout chaud dès qu'ils finissent de travailler. Et parce que les recettes à la mijoteuse leur font plusieurs portions, ils en profitent pour en faire des lunchs et des soupers dépanneurs !

« On a adoré cette recette, les boulettes sont vraiment goûteuses. On la refera assurément ! C'est tellement une bonne idée de faire des boulettes à la mijoteuse ! Et pourquoi ne pas en faire plus pour des réserves qu'on conserve au congélateur ? »

*Le lait de coco Haiku est l'un des seuls qui supporte bien la cuisson de longue durée.

PAR PORTION	
Calories	441
Protéines	55 g
M.G.	21 g
Glucides	15 g
Fibres	5 g
Fer	6 mg
Calcium	113 mg
Sodium	510 mg

Rôti de palette à saveur de cigares au chou

Préparation **15 minutes** / Cuisson à faible intensité **8 heures** / Quantité **4 portions**

15 ml (1 c. à soupe) d'huile d'olive

1 kg (environ 2 ¼ lb) de rôti de palette de bœuf

250 ml (1 tasse) de sauce marinara

250 ml (1 tasse) de mélange de légumes surgelés pour soupe

½ chou vert émincé

30 ml (2 c. à soupe) d'assaisonnements pour sauce à spaghetti

2 tomates coupées en dés

Sel et poivre au goût

1. Dans une casserole à fond épais, chauffer l'huile à feu moyen. Saisir le rôti 2 minutes de chaque côté. Retirer du feu.

2. Dans la mijoteuse, mélanger la sauce marinara avec le mélange de légumes, le chou, les assaisonnements et les tomates.

3. Transférer le rôti dans la mijoteuse et le retourner quelques fois afin de bien l'enrober de sauce. Saler et poivrer.

4. Couvrir et cuire de 8 à 9 heures à faible intensité, jusqu'à ce que la viande se défasse facilement à la fourchette.

Geneviève est en télétravail à la maison en plus d'être maman de trois enfants de 9, 6 et 2 ans. La mijoteuse est rapidement devenue sa meilleure alliée dans ses journées bien chargées pour servir un bon souper sans rien avoir à surveiller ! Même si elle adore préparer des mijotés classiques, elle prend beaucoup de plaisir à essayer des recettes inusitées, comme du pain, du gâteau ou de la pizza.

« Vraiment très bon ! À la maison, on adore les cigares au chou, et cette délicieuse recette express leur ressemble beaucoup. Pour que le rappel soit plus juste, je sers le rôti sur un lit de riz. Ce fut un grand succès ! »

PAR PORTION	
Calories	474
Protéines	33 g
M.G.	24 g
Glucides	32 g
Fibres	2 g
Fer	3 mg
Calcium	83 mg
Sodium	479 mg

Porc barbecue

Préparation **20 minutes** / Cuisson à faible intensité **8 heures** / Quantité **6 portions**

1 kg (environ 2 ¼ lb) de rôti d'épaule de porc picnic sans couenne

15 ml (1 c. à soupe) d'huile d'olive

Pour la sauce :

1 boîte de tomates en dés de 540 ml

125 ml (½ tasse) de compote de pommes sucrée

125 ml (½ tasse) de cassonade

125 ml (½ tasse) de ketchup

60 ml (¼ de tasse) de sauce chili

60 ml (¼ de tasse) de vinaigre de cidre

15 ml (1 c. à soupe) de paprika fumé doux

15 ml (1 c. à soupe) de mélasse

15 ml (1 c. à soupe) de moutarde en poudre

15 ml (1 c. à soupe) de poudre d'oignon

5 ml (1 c. à thé) de poudre d'ail

Sel et poivre au goût

1. Dans une grande mijoteuse, mélanger les ingrédients de la sauce. À l'aide du mélangeur à main, réduire la préparation en sauce lisse.

2. Retirer l'excédent de gras du rôti.

3. Dans une poêle, chauffer l'huile à feu moyen. Saisir le rôti 2 minutes sur toutes les faces.

4. Déposer le rôti dans la mijoteuse. Retourner le rôti plusieurs fois afin de bien l'enrober de sauce.

5. Couvrir et cuire de 8 à 9 heures à faible intensité.

6. Retirer le rôti de la mijoteuse et le déposer dans une assiette. Retirer l'os et effilocher la viande à l'aide de deux fourchettes. Remettre la viande effilochée dans la mijoteuse. Remuer.

PAR PORTION	
Calories	450
Protéines	45 g
M.G.	12 g
Glucides	36 g
Fibres	6 g
Fer	3 mg
Calcium	120 mg
Sodium	576 mg

Ragoût de dinde crémeux

Préparation **25 minutes** / Cuisson à faible intensité **8 heures** / Quantité **6 portions**

15 ml (1 c. à soupe) d'huile d'olive

1 kg (environ 2 ¼ lb) de cubes de dinde

60 ml (¼ de tasse) de farine tout usage

1 oignon haché

15 ml (1 c. à soupe) d'ail haché

1 petit rutabaga pelé et coupé en cubes

2 carottes coupées en cubes

1 poireau coupé en dés

4 pommes de terre à chair jaune pelées et coupées en cubes

1 feuille de laurier

3 tiges de thym frais haché

125 ml (½ tasse) de vin banc

750 ml (3 tasses) de bouillon de poulet

Sel et poivre au goût

125 ml (½ tasse) de crème à cuisson 35 %

250 ml (1 tasse) de pois verts surgelés

1. Dans une poêle, chauffer l'huile à feu moyen. Faire dorer les cubes de dinde sur toutes les faces de 2 à 3 minutes.

2. Transférer les cubes de dinde dans une grande mijoteuse. Ajouter la farine et remuer afin de bien enrober les cubes de farine.

3. Ajouter l'oignon, l'ail, le rutabaga, les carottes, le poireau, les pommes de terre et les fines herbes dans la mijoteuse. Verser le vin blanc et le bouillon. Saler, poivrer et remuer.

4. Couvrir et cuire 8 heures à faible intensité.

5. Environ 30 minutes avant la fin de la cuisson, ajouter la crème et les pois verts. Remuer.

PAR PORTION	
Calories	455
Protéines	31 g
M.G.	30 g
Glucides	14 g
Fibres	4 g
Fer	2 mg
Calcium	59 mg
Sodium	553 mg

Poulet cacciatore

Préparation **15 minutes** / Cuisson à faible intensité **8 heures** / Quantité **4 portions**

15 ml (1 c. à soupe) d'huile d'olive

4 cuisses de poulet avec la peau, coupées en deux

1 contenant de champignons blancs de 227 g, tranchés

250 ml (1 tasse) de sauce marinara

250 ml (1 tasse) de bouillon de poulet

125 ml (½ tasse) de vin blanc

1 oignon haché

10 ml (2 c. à thé) d'ail haché

Sel et poivre au goût

80 ml (⅓ de tasse) d'olives Kalamata tranchées

30 ml (2 c. à soupe) de persil frais haché

1. Dans une poêle, chauffer l'huile à feu moyen. Faire dorer les demi-cuisses de poulet de 2 à 3 minutes de chaque côté.

2. Déposer les demi-cuisses de poulet dans la mijoteuse.

3. Ajouter les champignons, la sauce marinara, le bouillon, le vin, l'oignon et l'ail dans la mijoteuse. Saler, poivrer et remuer afin de bien enrober les demi-cuisses de sauce.

4. Couvrir et cuire de 8 à 9 heures à faible intensité.

5. Environ 15 minutes avant la fin de la cuisson, ajouter les olives et le persil dans la mijoteuse. Remuer.

En accompagnement

Riz basmati à l'ail

Dans une casserole, verser 250 ml (1 tasse) d'eau et déposer 125 ml (½ tasse) de riz basmati rincé et égoutté. Saler. Porter à ébullition, puis couvrir et laisser mijoter de 18 à 20 minutes à feu doux, jusqu'à absorption complète du liquide. Dans une poêle, chauffer 15 ml (1 c. à soupe) d'huile d'olive à feu moyen. Cuire 15 ml (1 c. à soupe) de persil frais haché et 5 ml (1 c. à thé) d'ail haché de 1 à 2 minutes. Ajouter le riz cuit dans la poêle et remuer.

PAR PORTION	
Calories	410
Protéines	42 g
M.G.	17 g
Glucides	18 g
Fibres	3 g
Fer	3 mg
Calcium	182 mg
Sodium	588 mg

Mijoté de veau au pesto

Préparation **20 minutes** / Cuisson à faible intensité **8 heures** / Quantité **6 portions**

15 ml (1 c. à soupe) d'huile d'olive

1 kg (environ 2 ¼ lb) de rôti d'épaule de veau coupé en cubes

45 ml (3 c. à soupe) de farine tout usage

1 rutabaga pelé et coupé en cubes

1 petit oignon rouge émincé

6 gousses d'ail pelées

20 tomates cerises

3 tiges de thym frais haché

1 feuille de laurier

250 ml (1 tasse) de bouillon de bœuf

125 ml (½ tasse) de vin blanc

Sel et poivre au goût

60 ml (¼ de tasse) de pesto de basilic

160 ml (⅔ de tasse) de parmesan râpé

1. Dans une poêle, chauffer l'huile à feu moyen. Faire dorer les cubes de veau sur toutes les faces de 2 à 3 minutes.

2. Transférer les cubes dans une grande mijoteuse. Ajouter la farine et remuer afin de bien enrober les cubes de farine.

3. Ajouter le rutabaga, l'oignon, l'ail, les tomates, les fines herbes, le bouillon et le vin. Saler, poivrer et remuer.

4. Couvrir et cuire 8 heures à faible intensité.

5. Environ 15 minutes avant la fin de la cuisson, ajouter le pesto et remuer.

6. Au moment de servir, parsemer de parmesan.

PAR PORTION	
Calories	646
Protéines	42 g
M.G.	23 g
Glucides	85 g
Fibres	9 g
Fer	7 mg
Calcium	138 mg
Sodium	743 mg

Sauce à spaghetti au bœuf effiloché

Préparation **25 minutes** / Cuisson à faible intensité **8 heures 30 minutes**
Quantité **8 portions**

1 boîte de tomates broyées de 796 ml

1 boîte de tomates en dés de 540 ml

1 boîte de pâte de tomates de 156 ml

1 oignon haché

30 ml (2 c. à soupe) d'ail haché

2 branches de céleri coupées en dés

1 carotte coupée en dés

1 poivron rouge coupé en dés

1 contenant de champignons blancs de 227 g, coupés en quatre

125 ml (½ tasse) de vin rouge

250 ml (1 tasse) de bouillon de bœuf

15 ml (1 c. à soupe) de thym frais haché

1 feuille de laurier

Sel et poivre au goût

15 ml (1 c. à soupe) d'huile d'olive

1 kg (environ 2 ¼ lb) de rôti de palette de bœuf désossé

60 ml (¼ de tasse) de sirop d'érable

30 ml (2 c. à soupe) de vinaigre balsamique

2,5 ml (½ c. à thé) de flocons de piment

450 g (1 lb) de pappardelles fraîches

125 ml (½ tasse) de copeaux de parmesan

12 feuilles de basilic frais

1. Dans une grande mijoteuse, mélanger les tomates broyées avec les tomates en dés, la pâte de tomates, l'oignon, l'ail, le céleri, la carotte, le poivron, les champignons, le vin rouge, le bouillon de bœuf et les fines herbes. Saler et poivrer.

2. Dans une poêle, chauffer l'huile à feu moyen. Saisir le rôti de palette 2 minutes de chaque côté.

3. Déposer le rôti de palette dans la mijoteuse.

4. Couvrir et cuire de 8 à 10 heures à faible intensité.

5. Retirer le rôti de palette de la mijoteuse et le déposer dans une assiette. Effilocher la viande à l'aide de deux fourchettes.

6. Remettre la viande effilochée dans la mijoteuse. Ajouter le sirop d'érable, le vinaigre balsamique et les flocons de piment. Remuer.

7. Couvrir et poursuivre la cuisson 30 minutes à faible intensité.

8. Dans une casserole d'eau bouillante salée, cuire les pâtes *al dente*. Égoutter.

9. Servir les pâtes avec la sauce à la viande effilochée. Garnir de copeaux de parmesan et de basilic.

« Même si la bonne vieille sauce à spag est difficile à remplacer, celle-ci est une excellente façon de varier, histoire d'ajouter une petite touche raffinée à ce plat que toute la famille aime manger. Ça fait chic, c'est savoureux, et ça reste tout simple à préparer. Mon chum a même dit qu'il préférait cette version à ma sauce habituelle. Et sur des pâtes fraîches, c'est un coup de cœur assuré! »

Depuis déjà plusieurs années, Mélanie utilise la mijoteuse à l'occasion afin de préparer des plats de style *comfort food* pour toute la famille. Maintenant que papa travaille régulièrement à l'extérieur, de la sauce à spaghetti au pouding aux fraises, elle utilise ce mode de cuisson pour préparer près de la moitié de ses recettes préférées !

PAR PORTION	
Calories	527
Protéines	26 g
M.G.	19 g
Glucides	66 g
Fibres	2 g
Fer	4 mg
Calcium	94 mg
Sodium	807 mg

Boulettes au balsamique

Préparation **25 minutes** / Cuisson à faible intensité **8 heures** / Quantité **4 portions**

225 g (½ lb) de bœuf haché mi-maigre

225 g (½ lb) de veau haché

125 ml (½ tasse) de chapelure nature

60 ml (¼ de tasse) de persil frais haché

15 ml (1 c. à soupe) d'ail haché

10 ml (2 c. à thé) de paprika fumé doux

2 oignons verts hachés

1 œuf

Sel et poivre au goût

Pour la sauce :

250 ml (1 tasse) de bouillon de bœuf

125 ml (½ tasse) de miel

125 ml (½ tasse) de ketchup

80 ml (⅓ de tasse) de vinaigre balsamique

30 ml (2 c. à soupe) de sauce Worcestershire

15 ml (1 c. à soupe) de poudre d'oignon

5 ml (1 c. à thé) de poudre d'ail

5 ml (1 c. à thé) de sriracha

Sel au goût

1. Préchauffer le four à 220 °C (425 °F).

2. Dans un bol, mélanger le bœuf haché avec le veau haché, la chapelure, le persil, l'ail, le paprika fumé, les oignons verts et l'œuf. Saler et poivrer. Façonner douze boulettes en utilisant environ 45 ml (3 c. à soupe) de préparation pour chacune d'elles.

3. Déposer les boulettes sur une plaque de cuisson tapissée de papier parchemin. Cuire au four de 8 à 10 minutes, en retournant les boulettes à mi-cuisson.

4. Dans une grande mijoteuse, mélanger les ingrédients de la sauce.

5. Transférer les boulettes dans la mijoteuse et remuer afin de bien les enrober de sauce.

6. Couvrir et cuire 8 heures à faible intensité.

Pourquoi précuire les boulettes ?

Pour permettre aux boulettes de rester bien rondes et éviter qu'elles ne se brisent, surtout lorsqu'elles mijotent, on les précuit au four avant de les incorporer au reste de la recette. Elles développent alors une petite croûte qui les solidifie et les empêche de se défaire lors de la cuisson.

8 heures
et plus

PAR PORTION	
Calories	495
Protéines	49 g
M.G.	19 g
Glucides	32 g
Fibres	2 g
Fer	2 mg
Calcium	158 mg
Sodium	816 mg

Poulet à l'italienne

Préparation **8 minutes** / Cuisson à faible intensité **8 heures** / Quantité **4 portions**

15 ml (1 c. à soupe) d'huile d'olive

4 poitrines de poulet sans peau

4 pommes de terre à chair jaune pelées et coupées en cubes

12 oignons rouges perlés (non marinés) pelés

1 feuille de laurier

125 ml (½ tasse) de parmesan râpé

45 ml (3 c. à soupe) de persil frais haché

Pour la sauce :

160 ml (⅔ de tasse) de bouillon de poulet

125 ml (½ tasse) de vinaigrette italienne

15 ml (1 c. à soupe) d'ail haché

15 ml (1 c. à soupe) de sauce à bifteck (de type HP)

15 ml (1 c. à soupe) de zestes de citron

5 ml (1 c. à thé) d'herbes italiennes séchées

1. Dans une grande mijoteuse, mélanger les ingrédients de la sauce.

2. Dans une grande poêle, chauffer l'huile à feu moyen. Faire dorer les poitrines de poulet de 2 à 3 minutes.

3. Transférer les poitrines dans la mijoteuse et les retourner plusieurs fois afin de bien les enrober de sauce.

4. Ajouter les pommes de terre, les oignons rouges et la feuille de laurier. Remuer.

5. Couvrir et cuire 8 heures à faible intensité.

6. Au moment de servir, ajouter le parmesan et le persil.

Tendres viandes

Grâce à sa cuisson lente qui confère à la viande une tendreté supérieure, la mijoteuse est l'appareil tout indiqué pour cuisiner une grande variété de coupes sans effort. Rôti de palette, hauts de cuisses de poulet, épaule de porc… Les recettes de cette section plairont assurément aux carnivores !

PAR PORTION	
Calories	533
Protéines	42 g
M.G.	29 g
Glucides	26 g
Fibres	0 g
Fer	2 mg
Calcium	28 mg
Sodium	611 mg

Hauts de cuisses de poulet au bacon, miel et ail

Préparation **15 minutes** / Cuisson à faible intensité **5 heures**
Quantité **4 portions**

8 hauts de cuisses de poulet désossés sans peau

8 tranches de bacon

15 ml (1 c. à soupe) d'huile d'olive

80 ml (⅓ de tasse) de miel

30 ml (2 c. à soupe) d'ail haché

160 ml (⅔ de tasse) de bouillon de poulet

10 ml (2 c. à thé) de thym frais haché

Sel et poivre au goût

1. Enrober chaque haut de cuisse de poulet d'une tranche de bacon.

2. Dans une poêle, chauffer l'huile à feu moyen. Faire dorer les hauts de cuisses 2 minutes de chaque côté.

3. Déposer les hauts de cuisses dans une grande mijoteuse. Ajouter le miel, l'ail, le bouillon et le thym. Saler, poivrer et remuer.

4. Couvrir et cuire de 5 à 6 heures à faible intensité.

« Cette recette est tellement savoureuse ! La sauce miel et ail pénètre bien dans le poulet et ça donne une viande goûteuse et très tendre. Vraiment bon ! »

Dès que l'automne se pointe le bout du nez, Corinne a une soudaine envie de ressortir sa mijoteuse ! Pour elle, les repas mijotés ont un côté réconfortant qui fait du bien. Le fait d'habiter seule ne l'empêche pas de bénéficier des avantages de son appareil : une seule recette lui permet d'avoir des lunchs pour la semaine. Ça, c'est pratique !

PAR PORTION	
Calories	425
Protéines	36 g
M.G.	24 g
Glucides	12 g
Fibres	0 g
Fer	1 mg
Calcium	36 mg
Sodium	253 mg

Jambon caramélisé à la bière et cassonade

Préparation **15 minutes** / Cuisson à faible intensité **8 heures**
Quantité **8 portions**

125 ml (½ tasse) de cassonade

1 bière blonde de 341 ml

30 ml (2 c. à soupe) de moutarde de Dijon

15 ml (1 c. à soupe) de thym frais haché

5 ml (1 c. à thé) de romarin frais haché

5 ml (1 c. à thé) de poudre d'oignon

5 ml (1 c. à thé) de poudre d'ail

10 ml (2 c. à thé) de paprika

1,25 ml (¼ de c. à thé) de piment de Cayenne

1 épaule de porc fumée picnic désossée de 1,5 kg (environ 3 ⅓ lb)

1. Dans un bol, mélanger la cassonade avec la bière, la moutarde, les fines herbes, la poudre d'oignon, la poudre d'ail, le paprika et le piment de Cayenne.

2. Déposer l'épaule de porc dans une grande mijoteuse. Napper de la préparation à la bière.

3. Couvrir et cuire de 8 à 10 heures à faible intensité.

PAR PORTION	
Calories	623
Protéines	52 g
M.G.	24 g
Glucides	49 g
Fibres	1 g
Fer	6 mg
Calcium	59 mg
Sodium	2 026 mg

Bœuf coréen

Préparation **15 minutes** / Cuisson à faible intensité **7 heures**
Quantité **4 portions**

900 g (2 lb) de rôti de pointe de surlonge de bœuf coupé en grosses lanières

125 ml (½ tasse) de fécule de maïs

30 ml (2 c. à soupe) d'huile de sésame

3 oignons verts coupés en tronçons

Pour la sauce :

180 ml (¾ de tasse) de sauce soya réduite en sodium

180 ml (¾ de tasse) de bouillon de bœuf réduit en sodium

125 ml (½ tasse) de cassonade

30 ml (2 c. à soupe) de gingembre râpé

30 ml (2 c. à soupe) de miel

15 ml (1 c. à soupe) d'ail haché

1 piment thaï haché

1. Dans une grande mijoteuse, mélanger les ingrédients de la sauce.

2. Dans un bol, mélanger les lanières de bœuf avec la fécule de maïs.

3. Dans une poêle, chauffer l'huile à feu moyen. Faire dorer les lanières de bœuf 1 minute de chaque côté.

4. Déposer les lanières dans la mijoteuse.

5. Couvrir et cuire de 7 à 8 heures à faible intensité, jusqu'à ce que la viande se défasse facilement à la fourchette.

6. Environ 10 minutes avant la fin de la cuisson, ajouter les oignons verts dans la mijoteuse.

PAR PORTION	
Calories	563
Protéines	66 g
M.G.	17 g
Glucides	35 g
Fibres	5 g
Fer	7 mg
Calcium	94 mg
Sodium	674 mg

Osso buco de veau à la bière noire

Préparation **20 minutes** / Cuisson à faible intensité **6 heures** / Quantité **4 portions**

125 ml (½ tasse) de farine tout usage

4 tranches de jarrets de veau (environ 1 kg – 2 ¼ lb)

30 ml (2 c. à soupe) d'huile d'olive

2 carottes coupées en dés

1 oignon coupé en dés

15 ml (1 c. à soupe) d'ail haché

2 contenants de champignons boutons de 227 g chacun

15 ml (1 c. à soupe) de thym frais haché

1 tige de romarin frais

1 feuille de laurier

1 bière noire de 355 ml

15 ml (1 c. à soupe) de moutarde de Dijon

125 ml (½ tasse) de fond de veau

1 boîte de pâte de tomates de 156 ml

Sel et poivre au goût

1. Dans une assiette creuse, déposer la farine. Fariner les tranches de jarrets et secouer pour retirer l'excédent de farine.

2. Dans une grande poêle, chauffer l'huile à feu moyen. Faire dorer les tranches de jarrets de 1 à 2 minutes de chaque côté.

3. Déposer les jarrets dans une grande mijoteuse.

4. Ajouter les carottes, l'oignon, l'ail, les champignons et les fines herbes dans la mijoteuse.

5. Dans un bol, mélanger la bière avec la moutarde, le fond de veau et la pâte de tomates. Saler et poivrer.

6. Verser la préparation à la bière dans la mijoteuse.

7. Couvrir et cuire de 6 à 8 heures à faible intensité, jusqu'à ce que la chair se détache facilement de l'os.

Recevoir à la mijoteuse : quelle idée merveilleuse !

Pour passer plus de temps à jaser avec les invités sans faire de compromis sur la qualité du souper, la mijoteuse est la meilleure alliée ! Parfaite pour cuisiner un délicieux osso buco qui impressionnera certainement toute la tablée, elle fait littéralement tout le travail pendant que l'on profite de la soirée !

PAR PORTION	
Calories	639
Protéines	50 g
M.G.	39 g
Glucides	17 g
Fibres	4 g
Fer	4 mg
Calcium	92 mg
Sodium	1182 mg

Poulet entier à la portugaise

Préparation **20 minutes** / Cuisson à faible intensité **7 heures** / Quantité **4 portions**

1 poulet entier de 1,5 kg (3 ⅓ lb)

3 tiges de thym frais hachées

1 feuille de laurier

1 tige de romarin frais

3 gousses d'ail pelées

250 ml (1 tasse) de bouillon de poulet

125 ml (½ tasse) de vin blanc

22,5 ml (1 ½ c. à soupe) d'assaisonnements piri-piri

4 carottes coupées en biseau

1 oignon coupé en dés

Pour la marinade sèche :

22,5 ml (1 ½ c. à soupe) de paprika fumé doux

7,5 ml (½ c. à soupe) de poudre d'oignon

7,5 ml (½ c. à soupe) de poudre d'ail

5 ml (1 c. à thé) de sel

2,5 ml (½ c. à thé) de piment de Cayenne

1. Dans la cavité du poulet, insérer les fines herbes et l'ail.

2. Dans un bol, mélanger les ingrédients de la marinade sèche.

3. Frotter le poulet avec la marinade sèche.

4. Dans une grande mijoteuse, mélanger le bouillon de poulet avec le vin et les assaisonnements piri-piri.

5. Déposer le poulet dans la mijoteuse. Ajouter les carottes et l'oignon sur le pourtour du poulet.

6. Couvrir et cuire de 7 à 8 heures à faible intensité.

Rôti de bœuf

Préparation **20 minutes** / Cuisson à faible intensité **2 heures 30 minutes**
Cuisson à intensité élevée **7 minutes** / Quantité **4 portions**

PAR PORTION	
Calories	459
Protéines	61 g
M.G.	14 g
Glucides	17 g
Fibres	4 g
Fer	8 mg
Calcium	91 mg
Sodium	642 mg

1,5 kg (3 ⅓ lb) de rôti de bœuf d'environ 9 cm (3 ½ po) de diamètre

15 ml (1 c. à soupe) d'huile d'olive

3 carottes coupées en dés

3 branches de céleri coupées en dés

2 gousses d'ail émincées

1 oignon émincé

4 tranches de bacon coupées en morceaux

4 tiges de thym frais

1 feuille de laurier

Sel et poivre au goût

180 ml (¾ de tasse) de bouillon de bœuf

80 ml (⅓ de tasse) de vin rouge

45 ml (3 c. à soupe) de pâte de tomates

30 ml (2 c. à soupe) de fécule de maïs

Pour la marinade sèche :

30 ml (2 c. à soupe) d'assaisonnements italiens

30 ml (2 c. à soupe) de poudre d'oignon

30 ml (2 c. à soupe) de paprika

15 ml (1 c. à soupe) de poudre d'ail

15 ml (1 c. à soupe) de moutarde en poudre

2,5 ml (½ c. à thé) de sel

Poivre au goût

1. Dans un bol, mélanger les ingrédients de la marinade sèche. Frotter le rôti de bœuf avec la marinade sèche.

2. Dans une poêle, chauffer l'huile à feu moyen. Faire dorer le rôti sur toutes les faces.

3. Déposer le rôti dans une grande mijoteuse. Ajouter les légumes, le bacon et les fines herbes. Saler et poivrer.

4. Dans la même poêle, porter à ébullition le bouillon avec le vin et la pâte de tomates. Verser la préparation dans la mijoteuse.

5. Couvrir et cuire 2 heures 30 minutes à faible intensité.

6. Retirer le rôti de la mijoteuse et réserver dans une assiette. Couvrir d'une feuille de papier d'aluminium, sans serrer, et laisser reposer 5 minutes.

7. Dans un bol, délayer la fécule de maïs dans un peu d'eau froide. Incorporer la fécule délayée à la sauce contenue dans la mijoteuse. Couvrir et cuire de 7 à 10 minutes à intensité élevée.

8. Servir la sauce avec le rôti.

PAR PORTION	
Calories	481
Protéines	50 g
M.G.	20 g
Glucides	22 g
Fibres	1 g
Fer	4 mg
Calcium	72 mg
Sodium	415 mg

Épaule de porc à l'érable

Préparation **20 minutes** / Cuisson à faible intensité **8 heures** / Quantité **6 portions**

1,5 kg (3 ⅓ de lb) de rôti d'épaule de porc avec os

15 ml (1 c. à soupe) d'huile d'olive

Sel et poivre au goût

Pour la sauce :

250 ml (1 tasse) de cidre

80 ml (⅓ de tasse) de sirop d'érable

60 ml (¼ de tasse) de pâte de tomates

45 ml (3 c. à soupe) de vinaigre de cidre

30 ml (2 c. à soupe) de sauce à bifteck (de type HP)

15 ml (1 c. à soupe) de paprika fumé doux

15 ml (1 c. à soupe) d'assaisonnements tex-mex

10 ml (2 c. à thé) de poudre d'oignon

5 ml (1 c. à thé) de poudre d'ail

Sel et poivre au goût

1. Retirer l'excédent de gras et la peau de l'épaule de porc.

2. Dans une grande mijoteuse, mélanger les ingrédients de la sauce.

3. Dans une poêle, chauffer l'huile à feu moyen. Faire dorer le rôti d'épaule 2 minutes de chaque côté. Saler et poivrer.

4. Déposer le rôti dans la mijoteuse et le retourner plusieurs fois afin de bien l'enrober de sauce.

5. Couvrir et cuire 8 heures à faible intensité, jusqu'à ce que la chair se défasse facilement à la fourchette.

PAR PORTION	
Calories	516
Protéines	52 g
M.G.	14 g
Glucides	41 g
Fibres	2 g
Fer	1 mg
Calcium	78 mg
Sodium	363 mg

Poitrine de dinde pommes et érable

Préparation **20 minutes** / Cuisson à faible intensité **5 heures 25 minutes** / Quantité **6 portions**

60 ml (¼ de tasse) de sirop d'érable

125 ml (½ tasse) de bouillon de poulet

125 ml (½ tasse) de gelée de pomme

15 ml (1 c. à soupe) d'assaisonnements pour poulet

1 feuille de laurier

3 tiges de thym frais

Sel et poivre au goût

15 ml (1 c. à soupe) d'huile d'olive

1 rôti de poitrine de dinde de 1 kg (environ 2 ¼ lb)

1 oignon haché

15 ml (1 c. à soupe) d'ail haché

125 ml (½ tasse) de vin blanc

125 ml (½ tasse) de crème à cuisson 35 %

22,5 ml (1 ½ c. à soupe) de fécule de maïs

2 pommes Gala coupées en quartiers

1. Dans une grande mijoteuse, mélanger le sirop d'érable avec le bouillon de poulet, la gelée de pomme, les assaisonnements pour poulet et les fines herbes. Saler et poivrer.

2. Dans une poêle, chauffer l'huile à feu moyen. Faire dorer la poitrine de dinde de 2 à 3 minutes de chaque côté.

3. Ajouter l'oignon et l'ail dans la poêle. Poursuivre la cuisson 1 minute. Verser le vin blanc, puis porter à ébullition.

4. Transférer la poitrine de dinde et la préparation au vin blanc dans la mijoteuse.

5. Couvrir et cuire de 5 à 6 heures à faible intensité.

6. Retirer la poitrine de dinde de la mijoteuse et la déposer dans une assiette. Couvrir d'une feuille de papier d'aluminium, sans serrer. Réserver au chaud.

7. Dans un bol, mélanger la crème avec la fécule de maïs. Incorporer la préparation à la crème dans la mijoteuse en remuant, puis ajouter les pommes.

8. Couvrir et poursuivre la cuisson de 25 à 30 minutes à faible intensité, jusqu'à ce que la sauce épaississe et que les pommes soient tendres.

9. Servir la poitrine de dinde avec les pommes et la sauce.

La dinde, pas que pour Noël !

La dinde, c'est loin d'être juste pour le temps des Fêtes : ce plat facile à cuisiner est parfait pour un beau repas familial, peu importe le moment de l'année. Généreuse tout en étant faible en gras, la poitrine de dinde est une excellente coupe pour la mijoteuse, qui permet à la chair d'absorber une foule de saveurs et d'atteindre une tendreté inégalée.

PAR PORTION 1 petit pain	
Calories	355
Protéines	15 g
M.G.	15 g
Glucides	39 g
Fibres	1 g
Fer	2 mg
Calcium	110 mg
Sodium	725 mg

Petits pains farcis aux côtes levées

Préparation **30 minutes** / Cuisson à faible intensité **7 heures**
Quantité **16 petits pains farcis**

250 ml (1 tasse) de miel

125 ml (½ tasse) de sauce soya

30 ml (2 c. à soupe) d'ail haché

15 ml (1 c. à soupe) de paprika

5 ml (1 c. à thé) de poudre de chili

2 kg (environ 4 ½ lb) de côtes levées de dos de porc coupées en sections

15 ml (1 c. à soupe) de fécule de maïs

Pour servir :

16 petits pains à salade

375 ml (1 ½ tasse) de cheddar râpé

1. Dans une grande mijoteuse, mélanger le miel avec la sauce soya, l'ail, le paprika et la poudre de chili.

2. Ajouter les sections de côtes levées et remuer pour bien les enrober de sauce.

3. Couvrir et cuire de 7 à 8 heures à faible intensité.

4. Retirer les côtes levées de la mijoteuse et les réserver dans une assiette.

5. Dans une casserole, verser la sauce contenue dans la mijoteuse. Porter à ébullition.

6. Dans un bol, mélanger la fécule de maïs avec un peu d'eau froide. Ajouter la fécule délayée dans la casserole et remuer. Laisser mijoter de 1 à 2 minutes en remuant, jusqu'à épaississement.

7. Désosser les côtes levées et effilocher la viande à l'aide d'une fourchette.

8. Ajouter la viande effilochée dans la casserole et remuer.

9. Garnir les petits pains de côtes levées effilochées et de fromage.

PAR PORTION	
Calories	356
Protéines	36 g
M.G.	14 g
Glucides	21 g
Fibres	1 g
Fer	4 mg
Calcium	34 mg
Sodium	985 mg

Rôti de palette Tao

Préparation **15 minutes** / Cuisson à faible intensité **8 heures**
Cuisson à intensité élevée **10 minutes** / Quantité **6 portions**

1 kg (environ 2 ¼ lb) de rôti de palette de bœuf sans os

15 ml (1 c. à soupe) d'huile d'olive

Sel et poivre au goût

Pour la sauce :

180 ml (¾ de tasse) de ketchup

125 ml (½ tasse) de bouillon de bœuf

60 ml (¼ de tasse) de vinaigre de riz

60 ml (¼ de tasse) de sauce soya

60 ml (¼ de tasse) de cassonade

30 ml (2 c. à soupe) de gingembre râpé

15 ml (1 c. à soupe) d'ail haché

5 ml (1 c. à thé) de sriracha

15 ml (1 c. à soupe) de fécule de maïs

1. Dans une grande mijoteuse, mélanger les ingrédients de la sauce, à l'exception de la fécule de maïs.

2. Parer le rôti de palette en retirant l'excédent de gras.

3. Dans une poêle, chauffer l'huile à feu moyen. Faire dorer le rôti de palette 2 minutes de chaque côté.

4. Déposer le rôti de palette dans la mijoteuse. Saler et poivrer.

5. Couvrir et cuire 8 heures à faible intensité, jusqu'à ce que la viande se défasse facilement à la fourchette.

6. Retirer la viande de la mijoteuse et la déposer dans une assiette. Effilocher la viande à l'aide de deux fourchettes.

7. Dans un bol, délayer la fécule de maïs dans un peu d'eau froide. Incorporer la fécule délayée dans la mijoteuse en remuant.

8. Couvrir et poursuivre la cuisson de 10 à 15 minutes à intensité élevée.

9. Remettre la viande dans la mijoteuse. Remuer afin de bien l'enrober de sauce.

PAR PORTION	
Calories	510
Protéines	37 g
M.G.	17 g
Glucides	57 g
Fibres	5 g
Fer	3 mg
Calcium	95 mg
Sodium	995 mg

Porc aux ananas

Préparation **20 minutes** / Cuisson à faible intensité **5 heures** / Quantité **4 portions**

- 15 ml (1 c. à soupe) d'huile d'olive
- 600 g (environ 1 ⅓ lb) de rôti de longe de porc
- 1 petit ananas pelé et coupé en petits cubes
- 1 oignon haché
- 15 ml (1 c. à soupe) d'ail haché
- 160 ml (⅔ de tasse) de bouillon de poulet
- 80 ml (⅓ de tasse) de sauce soya réduite en sodium
- 125 ml (½ tasse) de cassonade
- Sel et poivre au goût
- 3 tiges de thym frais
- 1 feuille de laurier
- 1 poivron rouge coupé en dés

1. Dans une grande poêle, chauffer l'huile à feu moyen. Faire dorer la longe de porc 2 minutes de chaque côté.

2. Déposer la longe de porc dans une grande mijoteuse.

3. Dans la même poêle, cuire l'ananas, l'oignon et l'ail de 2 à 3 minutes.

4. Ajouter le bouillon de poulet, la sauce soya et la cassonade dans la poêle. Saler, poivrer et porter à ébullition.

5. Transférer la préparation à l'ananas dans la mijoteuse. Ajouter les fines herbes et remuer.

6. Couvrir et cuire de 5 à 6 heures à faible intensité.

7. Environ 30 minutes avant la fin de la cuisson, ajouter le poivron dans la mijoteuse.

PAR PORTION	
Calories	487
Protéines	43 g
M.G.	26 g
Glucides	16 g
Fibres	2 g
Fer	4 mg
Calcium	47 mg
Sodium	1941 mg

Bavette à la bière

Préparation **20 minutes** / Cuisson à faible intensité **6 heures**
Cuisson à intensité élevée **10 minutes** / Quantité **6 portions**

Sel et poivre au goût

1 kg (environ 2 ¼ lb) de bavette de bœuf

15 ml (1 c. à soupe) d'huile de canola

170 g (environ ⅓ de lb) de pancetta cuite coupée en dés

30 ml (2 c. à soupe) de fécule de maïs

Pour la sauce :

250 ml (1 tasse) de bière brune

125 ml (½ tasse) de bouillon de bœuf

30 ml (2 c. à soupe) de pâte de tomates

15 ml (1 c. à soupe) d'ail haché

15 ml (1 c. à soupe) de sauce Worcestershire

15 ml (1 c. à soupe) de thym frais haché

15 ml (1 c. à soupe) d'épices à steak

1 sachet de mélange pour soupe à l'oignon de 55 g

1 oignon coupé en dés

1 carotte coupée en dés

1. Dans une grande mijoteuse, mélanger les ingrédients de la sauce.

2. Saler et poivrer la bavette de bœuf.

3. Dans une grande poêle, chauffer l'huile à feu moyen. Faire dorer la bavette de bœuf de 2 à 3 minutes de chaque côté.

4. Déposer la bavette dans la mijoteuse.

5. Dans la même poêle, faire dorer la pancetta de 2 à 3 minutes.

6. Déposer la pancetta dans la mijoteuse.

7. Retourner la bavette plusieurs fois dans la mijoteuse afin de bien l'enrober de sauce.

8. Couvrir et cuire de 6 à 7 heures à faible intensité.

9. Retirer la bavette de la mijoteuse et la déposer dans une assiette. Couvrir d'une feuille de papier d'aluminium, sans serrer, et laisser reposer 5 minutes avant de trancher.

10. Dans un bol, mélanger la fécule de maïs avec 30 ml (2 c. à soupe) d'eau. Incorporer la fécule délayée dans la mijoteuse en remuant.

11. Couvrir et poursuivre la cuisson de 10 à 15 minutes à intensité élevée.

12. Servir la bavette avec la sauce.

En accompagnement

Purée de pommes de terre et chou-fleur aux fines herbes

Dans une casserole, déposer 3 pommes de terre à chair jaune pelées et coupées en cubes et 1 petit chou-fleur coupé en bouquets. Couvrir d'eau froide et saler. Porter à ébullition, puis laisser mijoter de 15 à 20 minutes, jusqu'à tendreté. Réduire en purée avec 60 ml (¼ de tasse) de lait 2 % chaud et 30 ml (2 c. à soupe) de beurre. Ajouter 30 ml (2 c. à soupe) de persil frais haché et 30 ml (2 c. à soupe) de ciboulette fraîche hachée. Saler, poivrer et remuer.

Poulet effiloché César

PAR PORTION	
Calories	559
Protéines	42 g
M.G.	28 g
Glucides	32 g
Fibres	2 g
Fer	3 mg
Calcium	168 mg
Sodium	1055 mg

Préparation **15 minutes** / Cuisson à faible intensité **5 heures** / Réfrigération **1 heure** / Quantité **4 portions**

80 ml (⅓ de tasse) de bouillon de poulet

5 ml (1 c. à thé) d'assaisonnements italiens

5 ml (1 c. à thé) d'ail haché

600 g (environ 1 ⅓ lb) de hauts de cuisses de poulet désossés sans peau

Sel et poivre au goût

Pour la vinaigrette :

80 ml (⅓ de tasse) de mayonnaise

60 ml (¼ de tasse) de yogourt grec nature 0 %

45 ml (3 c. à soupe) de parmesan râpé

10 ml (2 c. à thé) de jus de citron frais

7,5 ml (½ c. à soupe) de moutarde de Dijon

5 ml (1 c. à thé) de pâte d'anchois

5 ml (1 c. à thé) d'ail haché

Sel et poivre au goût

Pour servir :

4 pains kaiser

4 feuilles de laitue Boston

4 tranches de bacon cuites et coupées en deux

1. Dans une grande mijoteuse, mélanger le bouillon de poulet avec les assaisonnements italiens et l'ail.

2. Ajouter les hauts de cuisses. Saler, poivrer et remuer.

3. Couvrir et cuire de 5 à 6 heures à faible intensité.

4. Retirer les hauts de cuisses de la mijoteuse, les égoutter, puis les déposer dans une assiette. Effilocher le poulet à l'aide d'une fourchette. Refroidir de 1 à 2 heures au réfrigérateur.

5. Dans un bol, mélanger les ingrédients de la vinaigrette. Ajouter le poulet effiloché dans le bol et remuer.

6. Garnir les pains de laitue, de poulet effiloché et de bacon.

Sans précuisson

Fidèle alliée de nos quotidiens pressés, la mijoteuse permet de passer moins de temps à préparer le souper. Et quand on peut tout mettre dans le contenant sans d'abord passer par le poêlon, préparer les repas est encore moins long !

PAR PORTION	
Calories	570
Protéines	52 g
M.G.	33 g
Glucides	15 g
Fibres	2 g
Fer	2 mg
Calcium	260 mg
Sodium	914 mg

Poulet toscan crémeux

Préparation **20 minutes** / Cuisson à faible intensité **5 heures**
Cuisson à intensité élevée **15 minutes** / Quantité **4 portions**

250 ml (1 tasse) de bouillon de poulet

80 ml (1/3 de tasse) de tomates séchées émincées

5 ml (1 c. à thé) d'herbes italiennes séchées

15 ml (1 c. à soupe) d'ail haché

1 oignon haché

Sel et poivre au goût

4 poitrines de poulet sans peau

1 paquet de fromage à la crème de 250 g, coupé en cubes

180 ml (3/4 de tasse) de parmesan râpé

500 ml (2 tasses) de bébés épinards

12 tomates cerises coupées en deux

1. Dans une grande mijoteuse, mélanger le bouillon de poulet avec les tomates séchées, les herbes italiennes séchées, l'ail, l'oignon et 30 ml (2 c. à soupe) d'huile contenue dans le pot de tomates séchées. Saler et poivrer.

2. Déposer les poitrines de poulet dans la mijoteuse. Couvrir et cuire de 5 à 6 heures à faible intensité. Retirer les poitrines de la mijoteuse. Réserver dans une assiette.

3. Ajouter le fromage à la crème et le parmesan dans la mijoteuse. Couvrir et cuire de 10 à 15 minutes à intensité élevée en remuant quelques fois en cours de cuisson, jusqu'à ce que le fromage soit fondu.

4. Ajouter les épinards et les tomates cerises. Remuer. Remettre les poitrines de poulet dans la mijoteuse. Poursuivre la cuisson de 5 à 8 minutes à intensité élevée.

« Avant, étant au bureau toute la journée, je refusais systématiquement de me lancer dans des recettes à la mijoteuse qui cuisaient pendant moins de 8 heures. Mais depuis que je suis en télétravail, je peux démarrer la cuisson sur l'heure du dîner et avoir un repas tout prêt pour souper. Je profite aussi de ces recettes plus courtes le weekend! »

PAR PORTION	
Calories	680
Protéines	43 g
M.G.	26 g
Glucides	73 g
Fibres	13 g
Fer	7 mg
Calcium	305 mg
Sodium	624 mg

Tacos de porc chili-lime

Préparation **20 minutes** / Cuisson à faible intensité **7 heures** / Quantité **4 portions**

600 g (environ 1 ⅓ lb) de rôti de longe de porc

8 petites tortillas

10 tomates cerises de couleurs variées coupées en quatre

375 ml (1 ½ tasse) de chou rouge émincé

½ petit oignon rouge émincé

1 jalapeno coupé en fines rondelles

1 avocat coupé en dés

Pour la sauce :

2 à 3 oranges (zeste et jus)

2 limes (zeste et jus)

1 tige de thym frais

1 feuille de laurier

125 ml (½ tasse) d'échalotes sèches (françaises) hachées

60 ml (¼ de tasse) de cassonade

15 ml (1 c. à soupe) de poudre de chili

15 ml (1 c. à soupe) de gingembre haché

15 ml (1 c. à soupe) d'ail haché

10 ml (2 c. à thé) de cumin

10 ml (2 c. à thé) de coriandre moulue

5 ml (1 c. à thé) de chipotle

Sel au goût

1. Dans une grande mijoteuse, mélanger les ingrédients de la sauce.

2. Ajouter le rôti de porc dans la mijoteuse, puis le retourner plusieurs fois pour bien l'enrober de sauce. Couvrir et cuire de 7 à 8 heures à faible intensité.

3. À l'aide d'une fourchette, effilocher la viande.

4. Chauffer une poêle à feu moyen. Faire dorer les tortillas quelques secondes de chaque côté.

5. Au moment de servir, garnir les tortillas de porc effiloché, de tomates, de chou, d'oignon, de jalapeno et d'avocat.

PAR PORTION	
Calories	574
Protéines	29 g
M.G.	38 g
Glucides	30 g
Fibres	2 g
Fer	2 mg
Calcium	377 mg
Sodium	590 mg

Gratin de pommes de terre et saumon

Préparation **25 minutes** / Cuisson à faible intensité **6 heures**
Temps de repos **5 minutes** / Quantité **6 portions**

1 contenant de fromage à la crème au saumon fumé de 227 g

375 ml (1 ½ tasse) de crème à cuisson 15 %

15 ml (1 c. à soupe) d'aneth frais haché

60 ml (¼ de tasse) de persil frais haché

4 grandes feuilles de basilic frais

450 g (1 lb) de filet de saumon, la peau enlevée et coupé en petits cubes

3 oignons verts hachés

2 branches de céleri coupées en dés

15 ml (1 c. à soupe) d'ail haché

Sel et poivre au goût

6 à 8 pommes de terre à chair jaune pelées

500 ml (2 tasses) de bébés épinards émincés

375 ml (1 ½ tasse) de cheddar râpé

30 ml (2 c. à soupe) de chapelure nature

1. Dans le contenant du mélangeur électrique, déposer le fromage à la crème, la crème et les fines herbes. Mélanger 1 minute. Réserver 125 ml (½ tasse) de préparation.

2. Dans un bol, verser le reste de la préparation. Ajouter les cubes de saumon, les oignons verts, le céleri et l'ail. Saler, poivrer et remuer.

3. À l'aide d'une mandoline, couper les pommes de terre en fines tranches.

4. Beurrer le contenant d'une grande mijoteuse. Déposer la moitié des tranches de pommes de terre en rosace au fond de la mijoteuse. Couvrir de la préparation au saumon et des bébés épinards. Garnir de 125 ml (½ tasse) de cheddar. Couvrir du reste des tranches de pommes de terre et de la préparation à la crème réservée.

5. Couvrir et cuire de 6 à 8 heures à faible intensité, jusqu'à ce que les pommes de terre soient tendres. Laisser reposer de 5 à 10 minutes.

6. Retirer le couvercle. Garnir la préparation du cheddar restant et de chapelure. Régler le four à la position « gril » (*broil*). Placer le contenant de la mijoteuse au four et faire gratiner de 2 à 3 minutes.

« J'ai trouvé cette recette vraiment très savoureuse : la préparation au saumon était exquise ! C'est le genre de recette que je fais habituellement au four, et comme la majorité des récipients amovibles des mijoteuses sont en grès, on peut les mettre au four sans problème. C'est d'ailleurs ce que j'ai fait pour terminer la cuisson de ce plat, ce qui m'a donné une jolie couche de fromage gratiné ! »

PAR PORTION	
Calories	540
Protéines	24 g
M.G.	35 g
Glucides	31 g
Fibres	5 g
Fer	2 mg
Calcium	296 mg
Sodium	1103 mg

Poivrons farcis à la saucisse

Préparation 15 minutes / Cuisson à faible intensité 5 heures / Quantité 4 portions

4 poivrons de couleurs variées

450 g (1 lb) de chair de saucisses italiennes

1 pomme de terre pelée et coupée en dés

1 oignon haché

2 tomates coupées en dés

15 ml (1 c. à soupe) de persil frais haché

5 ml (1 c. à thé) d'origan frais haché

Sel et poivre au goût

125 ml (½ tasse) de bouillon de poulet

160 ml (⅔ de tasse) de mélange de fromages italiens râpés

1. Couper légèrement la base des poivrons afin qu'ils tiennent debout dans la mijoteuse. Couper le tiers supérieur des poivrons, puis retirer la membrane blanche et les pépins.

2. Dans un bol, mélanger la chair de saucisses avec les dés de pomme de terre, l'oignon, les tomates et les fines herbes. Saler et poivrer.

3. Dans la mijoteuse, verser le bouillon de poulet.

4. Farcir les poivrons de préparation à la saucisse. Déposer les poivrons farcis dans la mijoteuse. Couvrir de fromage.

5. Couvrir et cuire de 5 à 6 heures à faible intensité.

En accompagnement

Sauté de spirales de courgettes

À l'aide d'un coupe-spirales, couper 2 courgettes en spirales. Dans une grande poêle, chauffer 15 ml (1 c. à soupe) d'huile d'olive à feu moyen. Cuire les spirales de courgettes de 2 à 3 minutes, en remuant délicatement. Ajouter 125 ml (½ tasse) de parmesan râpé et 15 ml (1 c. à soupe) de basilic frais haché dans la poêle. Saler, poivrer et remuer délicatement.

PAR PORTION	
Calories	721
Protéines	51 g
M.G.	28 g
Glucides	68 g
Fibres	7 g
Fer	3 mg
Calcium	342 mg
Sodium	1184 mg

Poulet à la grecque

Préparation **25 minutes** / Cuisson à faible intensité **5 heures** / Quantité **4 portions**

30 ml (2 c. à soupe) d'huile d'olive

45 ml (3 c. à soupe) de vinaigre de vin rouge

160 ml (2/3 de tasse) de bouillon de poulet sans sel ajouté

1 petit oignon rouge haché

15 ml (1 c. à soupe) d'ail haché

15 ml (1 c. à soupe) d'origan frais haché

10 ml (2 c. à thé) de thym frais haché

80 ml (1/3 de tasse) d'olives Kalamata tranchées

4 petites poitrines de poulet sans peau

1 citron (zeste et jus)

Sel et poivre au goût

1 poivron jaune coupé en cubes

2 concombres libanais coupés en rondelles

1 contenant de feta de 200 g, coupée en dés

12 tomates cerises coupées en deux

Pour le couscous :

330 ml (1 1/3 tasse) de couscous

15 ml (1 c. à soupe) d'assaisonnements grecs

Sel et poivre au goût

1. Dans une grande mijoteuse, mélanger l'huile avec le vinaigre de vin, le bouillon de poulet, l'oignon, l'ail, les fines herbes, les olives, les poitrines de poulet ainsi que le zeste et le jus de citron. Saler et poivrer.

2. Retourner les poitrines de poulet plusieurs fois pour bien les enrober de préparation.

3. Couvrir et cuire de 5 à 6 heures à faible intensité.

4. Retirer les poitrines de poulet de la mijoteuse et les couper en tranches.

5. Dans un bol, mélanger le couscous avec les assaisonnements grecs. Saler et poivrer. Verser 330 ml (1 1/3 tasse) de jus de cuisson chaud contenu dans la mijoteuse sur le couscous et remuer. Couvrir et laisser gonfler 5 minutes. Égrainer le couscous à l'aide d'une fourchette.

6. Répartir le couscous dans quatre bols. Répartir séparément le poivron, les concombres, la feta, les tomates et le poulet.

PAR PORTION	
Calories	407
Protéines	27 g
M.G.	17 g
Glucides	38 g
Fibres	3 g
Fer	4 mg
Calcium	81 mg
Sodium	1012 mg

Sloppy Joe

Préparation 20 minutes / Cuisson à faible intensité 7 heures / Quantité 4 portions

250 ml (1 tasse) de sauce tomate

30 ml (2 c. à soupe) de sauce Worcestershire

45 ml (3 c. à soupe) de moutarde jaune

15 ml (1 c. à soupe) de vinaigre de cidre

125 ml (½ tasse) de ketchup

1 oignon haché

15 ml (1 c. à soupe) d'ail haché

30 ml (2 c. à soupe) de cassonade

Sel et poivre au goût

450 g (1 lb) de bœuf haché maigre

4 pains à hamburger

2 cornichons tranchés sur la longueur (facultatif)

1. Dans la mijoteuse, mélanger la sauce tomate avec la sauce Worcestershire, la moutarde, le vinaigre de cidre, le ketchup, l'oignon, l'ail et la cassonade. Saler et poivrer.

2. Ajouter le bœuf haché, puis l'égrainer à l'aide d'une cuillère en bois.

3. Couvrir et cuire de 7 à 8 heures à faible intensité. Si la préparation est trop liquide, prolonger la cuisson de 1 heure.

4. Préchauffer le four à la position « gril » (*broil*).

5. Ouvrir les pains à hamburger et les faire griller au four de 30 secondes à 1 minute.

6. Au moment de servir, garnir les pains à hamburger de préparation au bœuf et, si désiré, de cornichons.

« Ce n'est jamais bien long de cuire la viande hachée, mais l'avantage de cette version à la mijoteuse, c'est la texture absolument parfaite pour un Sloppy Joe gourmand et goûteux ! Un repas familial facile et rapide que tout le monde a aimé ! »

PAR PORTION	
Calories	533
Protéines	47 g
M.G.	19 g
Glucides	43 g
Fibres	2 g
Fer	3 mg
Calcium	42 mg
Sodium	1057 mg

Poulet aux noix de cajou

Préparation **20 minutes** / Cuisson à faible intensité **5 heures** / Quantité **4 portions**

125 ml (½ tasse) de fécule de maïs

4 poitrines de poulet sans peau coupées en cubes

125 ml (½ tasse) de noix de cajou

Pour la sauce :

125 ml (½ tasse) d'échalotes sèches (françaises) hachées

80 ml (⅓ de tasse) de sauce soya réduite en sodium

80 ml (⅓ de tasse) de ketchup

60 ml (¼ de tasse) de vinaigre de riz

30 ml (2 c. à soupe) d'huile de sésame

30 ml (2 c. à soupe) de cassonade

30 ml (2 c. à soupe) de gingembre râpé

15 ml (1 c. à soupe) d'ail haché

5 ml (1 c. à thé) de sriracha

1. Dans une grande mijoteuse, mélanger les ingrédients de la sauce avec 80 ml (⅓ de tasse) d'eau.

2. Dans une assiette creuse, déposer la fécule de maïs. Enrober les cubes de poulet de fécule de maïs. Secouer pour retirer l'excédent de fécule.

3. Ajouter les cubes de poulet dans la mijoteuse et remuer afin de bien les enrober de sauce.

4. Couvrir et cuire de 5 à 6 heures à faible intensité.

5. Ajouter les noix de cajou dans la mijoteuse et remuer.

Fajitas aux lanières de bœuf

Préparation 15 minutes / Cuisson à faible intensité 4 heures / Quantité 4 portions

PAR PORTION	
Calories	717
Protéines	51 g
M.G.	36 g
Glucides	58 g
Fibres	10 g
Fer	8 mg
Calcium	421 mg
Sodium	950 mg

8 petites tortillas

8 petites feuilles de laitue romaine

250 ml (1 tasse) de mélange de fromages râpés de type tex-mex

1 avocat tranché

Pour les fajitas :

675 g (environ 1 ½ lb) de steak de surlonge de bœuf coupé en lanières

3 demi-poivrons de couleurs variées émincés

1 petit oignon rouge émincé

1 sachet d'assaisonnements pour fajitas de 24 g

375 ml (1 ½ tasse) de sauce marinara

15 ml (1 c. à soupe) d'huile d'olive

30 ml (2 c. à soupe) de coriandre fraîche émincée

1. Dans une grande mijoteuse, mélanger tous les ingrédients des fajitas, à l'exception de la coriandre.

2. Couvrir et cuire de 4 à 6 heures à faible intensité.

3. Ajouter la coriandre dans la mijoteuse.

4. Garnir les tortillas d'une feuille de laitue romaine, de préparation à fajitas, de fromage et de tranches d'avocat.

PAR PORTION	
Calories	441
Protéines	23 g
M.G.	30 g
Glucides	21 g
Fibres	3 g
Fer	2 mg
Calcium	65 mg
Sodium	1434 mg

Saucisses cajun

Préparation **15 minutes** / Cuisson à faible intensité **5 heures** / Quantité **4 portions**

1 boîte de tomates en dés de 540 ml

125 ml (½ tasse) de bouillon de poulet réduit en sodium

30 ml (2 c. à soupe) d'épices cajun

3 poivrons de couleurs variées coupés en morceaux

8 saucisses italiennes douces coupées en morceaux

1 petit oignon rouge émincé

15 ml (1 c. à soupe) d'ail haché

Sel et poivre au goût

1. Dans la mijoteuse, mélanger les tomates en dés avec le bouillon de poulet, les épices cajun, les poivrons, les saucisses, l'oignon et l'ail. Saler et poivrer.

2. Couvrir et cuire de 5 à 6 heures à faible intensité.

« J'ai trouvé cette recette absolument délicieuse, mais elle était un peu trop piquante pour moi. J'ai donc légèrement réduit la quantité d'épices pour qu'elle corresponde davantage à mes goûts, et ça a valu le coup ! Simple comme tout, sans précuisson : je vais certainement cuisiner ce plat à nouveau ! »

Chantal est à la tête d'une famille recomposée de cinq personnes. Avec les devoirs, le souper et les lunchs, la mijoteuse est un gros atout pour nourrir tout ce beau petit monde de manière efficace ! En raison de leur simplicité et du fait qu'ils rassemblent tous les éléments du souper, les mijotés de légumes sont les recettes qu'elle préfère préparer.

PAR PORTION	
Calories	380
Protéines	27 g
M.G.	16 g
Glucides	34 g
Fibres	7 g
Fer	3 mg
Calcium	244 mg
Sodium	1337 mg

Chili de poulet Buffalo

Préparation **20 minutes** / Cuisson à faible intensité **6 heures** / Quantité **6 portions**

450 g (1 lb) de poulet haché

250 ml (1 tasse) de bouillon de poulet

1 boîte de tomates en dés de 540 ml

1 sachet de mélange pour vinaigrettes et trempettes ranch de 28 g

1 boîte de haricots rouges de 540 ml, rincés et égouttés

250 ml (1 tasse) de maïs en grains

125 ml (½ tasse) de sauce Buffalo pour ailes de poulet

15 ml (1 c. à soupe) d'ail haché

3 demi-poivrons de couleurs variées coupés en dés

1 branche de céleri coupée en dés

1 oignon coupé en dés

Sel et poivre au goût

Pour la garniture :

250 ml (1 tasse) de mélange de fromages râpés de type tex-mex

125 ml (½ tasse) de crème sure 14 %

30 ml (2 c. à soupe) de coriandre fraîche émincée

1. Dans une grande mijoteuse, mélanger le poulet haché avec le bouillon de poulet, les tomates en dés et le mélange pour vinaigrettes et trempettes, en égrainant la viande à l'aide d'une cuillère en bois.

2. Ajouter le reste des ingrédients dans la mijoteuse.

3. Couvrir et cuire de 6 à 8 heures à faible intensité.

4. Au moment de servir, garnir le chili de fromage, de crème sure et de coriandre.

PAR PORTION	
Calories	571
Protéines	43 g
M.G.	30 g
Glucides	32 g
Fibres	3 g
Fer	2 mg
Calcium	251 mg
Sodium	1037 mg

Côtelettes de porc aux champignons

Préparation **20 minutes** / Cuisson à faible intensité **6 heures** / Quantité **4 portions**

1 boîte de crème de champignons prête à servir de 540 ml

5 ml (1 c. à thé) d'herbes italiennes séchées

½ paquet de fromage à la crème de 250 g, ramolli

125 ml (½ tasse) de bouillon de poulet

180 ml (¾ de tasse) de parmesan râpé

Sel et poivre au goût

1 contenant de champignons blancs de 227 g, émincés

4 pommes de terre à chair jaune pelées et coupées en cubes

1 oignon haché

15 ml (1 c. à soupe) d'ail haché

4 côtelettes de porc avec os

1. Dans une grande mijoteuse, déposer la crème de champignons, les herbes italiennes séchées, le fromage à la crème, le bouillon de poulet et le parmesan. Saler et poivrer.

2. À l'aide du mélangeur à main, mélanger la préparation 1 minute.

3. Ajouter les champignons, les cubes de pommes de terre, l'oignon, l'ail et les côtelettes de porc dans la mijoteuse. Remuer afin de bien enrober la viande et les légumes de sauce.

4. Couvrir et cuire de 6 à 7 heures à faible intensité.

Tout-en-un

Parce qu'ils nécessitent moins de temps de préparation et d'efforts, et qu'ils confèrent plus de saveurs dans chaque bouchée, je raffole des plats tout-en-un dans lesquels protéines et accompagnements cuisent tous en même temps. Casserole mexicaine, ragoût de bœuf aux carottes, poulet et légumes... Les pages qui suivent sont garnies d'idées pour des soupers pas compliqués !

PAR PORTION	
Calories	669
Protéines	57 g
M.G.	33 g
Glucides	30 g
Fibres	3 g
Fer	2 mg
Calcium	337 mg
Sodium	864 mg

Poulet crémeux brocoli et bacon

Préparation **20 minutes** / Cuisson à faible intensité **5 heures**
Cuisson à intensité élevée **12 minutes** / Quantité **4 portions**

375 ml (1 ½ tasse) de bouillon de poulet

1 oignon haché

15 ml (1 c. à soupe) d'ail haché

125 ml (½ tasse) de vin blanc

45 ml (3 c. à soupe) de farine tout usage

15 ml (1 c. à soupe) de thym frais haché

1 feuille de laurier

Sel et poivre au goût

4 poitrines de poulet sans peau

12 à 16 pommes de terre grelots coupées en deux

250 ml (1 tasse) de crème à cuisson 15 %

160 ml (⅔ de tasse) de cheddar râpé

80 ml (⅓ de tasse) de parmesan râpé

500 ml (2 tasses) de brocoli coupé en petits bouquets

4 tranches de bacon coupées en morceaux

1. Dans une grande mijoteuse, mélanger le bouillon avec l'oignon, l'ail, le vin blanc, la farine et les fines herbes. Saler et poivrer.

2. Ajouter les poitrines de poulet et les pommes de terre grelots dans la mijoteuse.

3. Couvrir et cuire de 5 à 6 heures à faible intensité.

4. Ajouter la crème, les fromages et le brocoli dans la mijoteuse. Remuer. Couvrir et poursuivre la cuisson de 12 à 15 minutes à intensité élevée.

5. Pendant ce temps, déposer les tranches de bacon dans une assiette allant au micro-ondes. Cuire au micro-ondes de 2 à 3 minutes, jusqu'à ce que le bacon soit croustillant.

6. Au moment de servir, garnir de bacon.

Pour Laurence, la mijoteuse est la parfaite façon de cuisiner des repas savoureux et des desserts moelleux tout en passant plus de temps de qualité avec son *chum* David et leur fille Clémentine. Et pendant la rénovation de leur cuisine, son appareil favori lui a littéralement sauvé la vie !

« J'ai adoré la sauce onctueuse qui recouvrait bien le poulet et le rendait on ne peut plus savoureux. »

PAR PORTION	
Calories	595
Protéines	30 g
M.G.	28 g
Glucides	66 g
Fibres	11 g
Fer	6 mg
Calcium	375 mg
Sodium	833 mg

Étagé de bœuf à la mexicaine

Préparation **20 minutes** / Cuisson à faible intensité **4 heures** / Quantité **8 portions**

30 ml (2 c. à soupe) d'huile d'olive

450 g (1 lb) de bœuf haché maigre

1 oignon haché

15 ml (1 c. à soupe) d'ail haché

625 ml (2 ½ tasses) de sauce marinara

1 sachet d'assaisonnements pour fajitas de 24 g

375 ml (1 ½ tasse) de maïs en grains

1 boîte de haricots noirs de 540 ml, rincés et égouttés

3 demi-poivrons de couleurs variées coupés en dés

Sel et poivre au goût

16 petites tortillas

375 ml (1 ½ tasse) de mélange de fromages râpés de type tex-mex

1. Badigeonner l'intérieur d'une grande mijoteuse de la moitié de l'huile d'olive.

2. Dans une casserole, chauffer le reste de l'huile à feu moyen. Cuire le bœuf haché de 5 à 7 minutes en égrainant la viande à l'aide d'une cuillère en bois, jusqu'à ce qu'elle ait perdu sa teinte rosée.

3. Ajouter l'oignon et l'ail. Cuire 1 minute.

4. Hors du feu, ajouter la sauce marinara, les assaisonnements, le maïs, les haricots et les poivrons. Saler, poivrer et remuer.

5. Couvrir le fond de la mijoteuse de quatre tortillas. Verser le tiers de la préparation à la viande. Répéter cette étape deux fois.

6. Couvrir la préparation du reste des tortillas. Garnir de fromage.

7. Couvrir et cuire de 4 à 6 heures à faible intensité.

PAR PORTION	
Calories	691
Protéines	39 g
M.G.	38 g
Glucides	49 g
Fibres	4 g
Fer	3 mg
Calcium	41 mg
Sodium	577 mg

Hauts de cuisses moutarde et miel

Préparation **20 minutes** / Cuisson à faible intensité **6 heures** / Quantité **4 portions**

15 ml (1 c. à soupe) d'huile d'olive

8 hauts de cuisses de poulet sans peau avec os

45 ml (3 c. à soupe) de farine tout usage

12 pommes de terre grelots coupées en deux

2 épis de maïs coupés en tronçons

1 petit oignon rouge coupé en cubes

15 ml (1 c. à soupe) d'ail haché

15 ml (1 c. à soupe) de thym frais haché

1 feuille de laurier

1 carotte coupée en biseau

60 ml (¼ de tasse) de miel

250 ml (1 tasse) de bouillon de poulet

30 ml (2 c. à soupe) de moutarde de Dijon

Sel et poivre au goût

1. Dans une poêle, chauffer l'huile à feu moyen. Faire dorer les hauts de cuisses de poulet de 2 à 3 minutes de chaque côté.

2. Transférer les hauts de cuisses dans une grande mijoteuse. Saupoudrer de farine et remuer.

3. Ajouter les pommes de terre, les tronçons de maïs, l'oignon rouge, l'ail, les fines herbes et la carotte dans la mijoteuse.

4. Dans un bol, mélanger le miel avec le bouillon et la moutarde. Saler et poivrer.

5. Verser la préparation au miel dans la mijoteuse et remuer afin de bien en enrober tous les ingrédients.

6. Couvrir et cuire de 6 à 7 heures à faible intensité.

Marie-Christine et son amoureux Jess affectionnent particulièrement la mijoteuse à l'automne, quand vient le temps de cuisiner des plats réconfortants et bien parfumés, mais c'est surtout pour concocter des desserts qui sortent de l'ordinaire que le couple dans la vingtaine utilise leur petite machine de guerre !

« J'ai été impressionnée du résultat : le poulet était incroyablement tendre et la sauce délicieuse, pas trop sucrée, contrairement à ce que je craignais au départ. Je referai assurément cette recette ! »

PAR PORTION	
Calories	453
Protéines	38 g
M.G.	15 g
Glucides	41 g
Fibres	6 g
Fer	6 mg
Calcium	90 mg
Sodium	1898 mg

Ragoût de bœuf aux carottes et patate douce

Préparation **25 minutes** / Cuisson à faible intensité **7 heures** / Quantité **4 portions**

600 g (environ 1 ⅓ de lb) de cubes de bœuf à ragoût

250 ml (1 tasse) de bouillon de bœuf

1 sachet de mélange pour soupe à l'oignon de 55 g

1 boîte de crème de tomates condensée de 284 ml

250 ml (1 tasse) de sauce tomate

15 ml (1 c. à soupe) de paprika fumé doux

15 ml (1 c. à soupe) d'ail haché

500 ml (2 tasses) de mini-carottes

2 pommes de terre pelées et coupées en cubes

1 patate douce moyenne pelée et coupée en cubes

15 ml (1 c. à soupe) de thym frais haché

1 feuille de laurier

1. Dans une grande mijoteuse, déposer les cubes de bœuf. Ajouter le bouillon de bœuf, le mélange pour soupe à l'oignon, la crème de tomates, la sauce tomate, le paprika fumé, l'ail, les légumes et les fines herbes. Remuer.

2. Couvrir et cuire de 7 à 8 heures à faible intensité.

« Je n'étais pas une grande fan de la mijoteuse parce que je trouvais que, souvent, les recettes ne goûtent pas grand-chose, mais j'ai été surprise avec cette recette qui est vraiment remplie de saveurs ! Nous avons tout adoré de ce bœuf aux carottes : il y a assez de sauce, les patates douces apportent une touche différente et, en plus, c'est encore meilleur réchauffé en lunch le lendemain ! »

PAR PORTION	
Calories	591
Protéines	39 g
M.G.	34 g
Glucides	27 g
Fibres	7 g
Fer	4 mg
Calcium	86 mg
Sodium	490 mg

Poulet aux artichauts

Préparation **20 minutes** / Cuisson à faible intensité **5 heures** / Quantité **4 portions**

8 hauts de cuisses de poulet sans peau désossés

125 ml (½ tasse) de vin blanc

180 ml (¾ de tasse) de bouillon de poulet

1 citron (zeste et jus)

1 boîte de cœurs d'artichauts en quartiers de 398 ml

60 ml (¼ de tasse) de tomates séchées émincées

10 pommes de terre grelots coupées en deux

Sel et poivre au goût

150 g (⅓ de lb) de haricots verts coupés en tronçons

500 ml (2 tasses) de bébés épinards

1. Dans une grande mijoteuse, déposer les hauts de cuisses. Ajouter le vin, le bouillon, le zeste et le jus de citron, les artichauts, les tomates séchées et les pommes de terre. Saler, poivrer et remuer.

2. Couvrir et cuire de 4 heures 30 minutes à 5 heures 30 minutes à faible intensité.

3. Ajouter les haricots verts dans la mijoteuse et remuer. Couvrir et poursuivre la cuisson 30 minutes à faible intensité.

4. Au moment de servir, ajouter les épinards et remuer.

PAR PORTION	
Calories	438
Protéines	24 g
M.G.	16 g
Glucides	49 g
Fibres	5 g
Fer	5 mg
Calcium	117 mg
Sodium	1091 mg

Pâtes style tacos

Préparation **20 minutes** / Cuisson à faible intensité **5 heures**
Cuisson à intensité élevée **10 minutes** / Quantité **6 portions**

15 ml (1 c. à soupe) d'huile d'olive

450 g (1 lb) de bœuf haché mi-maigre

1 oignon haché

15 ml (1 c. à soupe) d'ail haché

625 ml (2 ½ tasses) de bouillon de poulet

1 sachet d'assaisonnements pour tacos de 24 g

1 boîte de tomates en dés de 540 ml

250 ml (1 tasse) de maïs en grains

3 demi-poivrons de couleurs variées coupés en dés

250 ml (1 tasse) de salsa

750 ml (3 tasses) de gemellis

Sel et poivre au goût

60 ml (¼ de tasse) de tartinade au fromage fondu (de type Le petit crémeux)

1. Dans une poêle, chauffer l'huile à feu moyen. Cuire le bœuf haché de 5 à 7 minutes en égrainant la viande à l'aide d'une cuillère en bois, jusqu'à ce qu'elle ait perdu sa teinte rosée.

2. Ajouter l'oignon et l'ail. Cuire 1 minute.

3. Transférer la préparation dans une grande mijoteuse.

4. Ajouter le bouillon, les assaisonnements pour tacos, les tomates en dés, le maïs, les poivrons et la salsa. Remuer. Couvrir et cuire de 5 à 6 heures à faible intensité.

5. Ajouter les pâtes dans la mijoteuse. Saler, poivrer et remuer. Poursuivre la cuisson de 10 à 15 minutes à intensité élevée.

6. Au moment de servir, ajouter la tartinade au fromage fondu et remuer.

Lauréanne adore cuisiner, mais déteste avoir à nettoyer une montagne de vaisselle après chaque souper. La mijoteuse est sa solution préférée pour écourter cette fastidieuse corvée sans faire une croix sur le plaisir de bien manger.

« *Cette recette est parfaite ! J'ai ajouté un peu de piquant et, avec le fromage crémeux à la fin, c'était complètement débile !* »

PAR PORTION	
Calories	413
Protéines	42 g
M.G.	2 g
Glucides	54 g
Fibres	4 g
Fer	4 mg
Calcium	88 mg
Sodium	145 mg

Porc érable et balsamique

Préparation **20 minutes** / Cuisson à faible intensité **5 heures**
Cuisson à intensité élevée **15 minutes** / Quantité **4 portions**

125 ml (½ tasse) de sirop d'érable

60 ml (¼ de tasse) de vinaigre balsamique

10 ml (2 c. à thé) de thym frais haché

5 ml (1 c. à thé) de romarin frais haché

15 ml (1 c. à soupe) de sauce Worcestershire

15 ml (1 c. à soupe) d'ail haché

Sel et poivre au goût

675 g (environ 1 ½ lb) de filet de porc

16 pommes de terre grelots coupées en deux

1 oignon haché

150 g (⅓ de lb) d'asperges coupées en tronçons

1. Dans une grande mijoteuse, mélanger le sirop d'érable avec le vinaigre balsamique, les fines herbes, la sauce Worcestershire et l'ail. Saler et poivrer.

2. Parer le filet de porc en retirant la membrane blanche.

3. Ajouter le filet de porc dans la mijoteuse et le retourner plusieurs fois afin qu'il soit bien enrobé de sauce.

4. Déposer les pommes de terre et l'oignon autour du filet.

5. Couvrir et cuire de 5 à 6 heures à faible intensité.

6. Ajouter les asperges dans la mijoteuse. Couvrir et poursuivre la cuisson de 15 à 20 minutes à intensité élevée.

PAR PORTION	
Calories	409
Protéines	23 g
M.G.	23 g
Glucides	28 g
Fibres	3 g
Fer	2 mg
Calcium	378 mg
Sodium	1311 mg

Casserole de pommes de terre et jambon

Préparation **20 minutes** / Cuisson à faible intensité **5 heures** / Quantité **6 portions**

1 boîte de crème de champignons prête à servir de 398 ml

125 ml (½ tasse) de lait 2 %

125 ml (½ tasse) de crème sure 14 %

4 pommes de terre pelées et coupées en petits cubes

450 g (1 lb) de jambon cuit et coupé en cubes

1 oignon haché

15 ml (1 c. à soupe) d'ail haché

80 ml (⅓ de tasse) de persil frais haché

Sel et poivre au goût

375 ml (1 ½ tasse) de brocoli coupé en petits bouquets

500 ml (2 tasses) de chou-fleur coupé en petits bouquets

500 ml (2 tasses) de cheddar fort râpé

1. Dans une grande mijoteuse, mélanger la crème de champignons avec le lait et la crème sure.

2. Ajouter les pommes de terre, le jambon, l'oignon, l'ail et le persil. Saler et poivrer.

3. Couvrir et cuire de 4 heures 30 minutes à 5 heures 30 minutes à faible intensité.

4. Ajouter le brocoli, le chou-fleur et le cheddar dans la mijoteuse. Remuer. Couvrir et poursuivre la cuisson 30 minutes à faible intensité.

PAR PORTION	
Calories	543
Protéines	37 g
M.G.	34 g
Glucides	30 g
Fibres	2 g
Fer	2 mg
Calcium	266 mg
Sodium	983 mg

Pâtes Alfredo au poulet et saucisses

Préparation **20 minutes** / Cuisson à faible intensité **4 heures**
Cuisson à intensité élevée **10 minutes** / Quantité **6 portions**

375 ml (1 ½ tasse) de crème à cuisson 35 %

625 ml (2 ½ tasses) de bouillon de poulet

15 ml (1 c. à soupe) d'épices cajun

15 ml (1 c. à soupe) d'ail haché

1 oignon haché

Sel et poivre au goût

2 saucisses italiennes

2 poitrines de poulet sans peau

500 ml (2 tasses) de pennes

250 ml (1 tasse) de haricots verts coupés en tronçons

250 ml (1 tasse) de parmesan râpé

1. Dans une grande mijoteuse, mélanger la crème avec le bouillon, les épices cajun, l'ail et l'oignon. Saler et poivrer.

2. Ajouter les saucisses et les poitrines de poulet dans la mijoteuse. Couvrir et cuire 4 heures à faible intensité.

3. Ajouter les pâtes et les haricots. Remuer. Couvrir et poursuivre la cuisson de 10 à 15 minutes à intensité élevée.

4. Ajouter le parmesan et remuer.

5. Retirer le poulet de la mijoteuse, puis l'effilocher à l'aide d'une fourchette. Remettre le poulet dans la mijoteuse et remuer.

PAR PORTION	
Calories	533
Protéines	41 g
M.G.	9 g
Glucides	72 g
Fibres	7 g
Fer	5 mg
Calcium	64 mg
Sodium	1025 mg

Ragoût de poulet et lentilles

Préparation **25 minutes** / Cuisson à faible intensité **6 heures** / Quantité **6 portions**

30 ml (2 c. à soupe) d'huile d'olive

4 poitrines de poulet sans peau coupées en cubes

80 ml (⅓ de tasse) de farine tout usage

4 pommes de terre coupées en cubes

375 ml (1 ½ tasse) de mini-carottes

1 oignon coupé en dés

250 ml (1 tasse) de lentilles vertes sèches, rincées et égouttées

15 ml (1 c. à soupe) de thym frais haché

1 feuille de laurier

Pour la sauce :

750 ml (3 tasses) de bouillon de poulet

60 ml (¼ de tasse) de sauce soya

60 ml (¼ de tasse) de miel

45 ml (3 c. à soupe) de vinaigre de riz

22,5 ml (1 ½ c. à soupe) d'ail haché

Sel et poivre au goût

1. Dans une poêle, chauffer l'huile à feu moyen. Faire dorer les cubes de poulet de 5 à 7 minutes.

2. Dans une grande mijoteuse, déposer les cubes de poulet. Saupoudrer de farine et remuer.

3. Dans un bol, mélanger les ingrédients de la sauce.

4. Déposer les pommes de terre, les mini-carottes, l'oignon, les lentilles, les fines herbes et la sauce dans la mijoteuse. Remuer.

5. Couvrir et cuire de 6 à 7 heures à faible intensité.

Végé gourmand

Utiliser la mijoteuse pour manger végé, quelle bonne idée ! Que vous ayez envie d'un cari au quinoa délicatement épicé, d'un tofu au beurre onctueux et parfumé ou simplement d'un plat de légumes mijotés bien crémeux, dans cette section, vous trouverez des recettes gourmandes, savoureuses et 100 % végé !

PAR PORTION	
Calories	709
Protéines	29 g
M.G.	37 g
Glucides	73 g
Fibres	8 g
Fer	4 mg
Calcium	192 mg
Sodium	713 mg

Pois chiches et tofu aux arachides

Préparation **30 minutes** / Cuisson à faible intensité **6 heures** / Quantité **6 portions**

60 ml (¼ de tasse) d'arachides hachées

2 oignons verts émincés

30 ml (2 c. à soupe) de coriandre fraîche hachée

Pour la préparation au tofu et aux pois chiches :

1 bloc de tofu ferme de 454 g, coupé en cubes

1 boîte de pois chiches de 540 ml, rincés et égouttés

1 boîte de lait de coco de 398 ml (de type Haiku)*

250 ml (1 tasse) de bouillon de légumes

125 ml (½ tasse) de beurre d'arachide crémeux

45 ml (3 c. à soupe) de sauce soya

45 ml (3 c. à soupe) de miel

30 ml (2 c. à soupe) de jus de lime frais

30 ml (2 c. à soupe) de vinaigre de riz

30 ml (2 c. à soupe) de pâte de cari rouge

15 ml (1 c. à soupe) de gingembre râpé

15 ml (1 c. à soupe) d'ail haché

1 oignon haché

Sel et poivre au goût

500 ml (2 tasses) de brocoli coupé en petits bouquets

1 poivron rouge émincé

Pour les nouilles :

225 g (½ lb) de nouilles de riz larges

60 ml (¼ de tasse) de bouillon de légumes

60 ml (¼ de tasse) de persil frais haché

1. Dans une grande mijoteuse, mélanger les ingrédients de la préparation au tofu et aux pois chiches, à l'exception du brocoli et du poivron. Remuer.

2. Couvrir et cuire de 6 à 8 heures à faible intensité.

3. Environ 20 minutes avant la fin de la cuisson, ajouter le brocoli et le poivron dans la mijoteuse. Remuer.

4. Réhydrater les nouilles de riz selon les indications de l'emballage.

5. Dans une poêle, déposer les nouilles, le bouillon et le persil. Chauffer de 2 à 3 minutes. Égoutter.

6. Répartir les nouilles de riz dans les assiettes. Garnir chaque portion de préparation au tofu et aux pois chiches, d'arachides, d'oignons verts et de coriandre.

*Le lait de coco Haiku est l'un des seuls qui supporte bien la cuisson de longue durée.

Mijoté korma

Préparation **20 minutes** / Cuisson à faible intensité **6 heures** / Quantité **4 portions**

PAR PORTION	
Calories	629
Protéines	19 g
M.G.	32 g
Glucides	79 g
Fibres	16 g
Fer	9 mg
Calcium	174 mg
Sodium	651 mg

1 boîte de tomates broyées de 796 ml

1 boîte de pois chiches de 540 ml, rincés et égouttés

1 boîte de lait de coco de 398 ml (de type Haiku)*

125 ml (½ tasse) de noix de cajou

30 ml (2 c. à soupe) de gingembre haché

30 ml (2 c. à soupe) de sucre de canne

30 ml (2 c. à soupe) de pâte de tomates

15 ml (1 c. à soupe) de paprika

15 ml (1 c. à soupe) de poudre de cari

15 ml (1 c. à soupe) d'ail haché

15 ml (1 c. à soupe) de garam masala

5 ml (1 c. à thé) de curcuma

5 ml (1 c. à thé) de coriandre moulue

5 ml (1 c. à thé) de cumin

1,25 ml (¼ de c. à thé) de flocons de piment

2 pommes de terre à chair jaune pelées et coupées en dés

2 petites carottes coupées en dés

1 oignon haché

250 ml (1 tasse) de pois verts surgelés

1. Dans une grande mijoteuse, mélanger tous les ingrédients, à l'exception des pois verts. Remuer.

2. Couvrir et cuire de 6 à 8 heures à faible intensité.

3. Environ 15 minutes avant la fin de la cuisson, ajouter les pois verts dans la mijoteuse. Remuer.

«Il y a cinq ans, j'ai mangé le meilleur poulet korma du monde, et depuis ce temps, je cherche une recette aussi bonne. Je dirais que c'est la recette que j'ai testée qui s'en rapproche le plus (et ce, même si c'est végé)!»

Pascale, jeune célibataire sans enfant, ne jure que par la mijoteuse quand vient le temps de se cuisiner une grande quantité de petits plats pour ses soupers qu'elle conserve au congélo.

*Le lait de coco Haiku est l'un des seuls qui supporte bien la cuisson de longue durée.

PAR PORTION	
Calories	521
Protéines	14 g
M.G.	25 g
Glucides	64 g
Fibres	13 g
Fer	6 mg
Calcium	173 mg
Sodium	865 mg

Cari au quinoa

Préparation **20 minutes** / Cuisson à faible intensité **6 heures** / Quantité **4 portions**

1 boîte de tomates en dés de 796 ml

1 boîte de pois chiches de 540 ml, rincés et égouttés

1 boîte de lait de coco de 398 ml (de type Haiku)*

80 ml (⅓ de tasse) de quinoa, rincé et égoutté

30 ml (2 c. à soupe) de sauce soya

30 ml (2 c. à soupe) de gingembre râpé

30 ml (2 c. à soupe) de poudre de cari

15 ml (1 c. à soupe) d'ail haché

5 ml (1 c. à thé) de curcuma

1,25 ml (¼ de c. à thé) de flocons de piment

2 petites patates douces pelées et coupées en petits cubes

1 oignon coupé en dés

Sel au goût

1 petit brocoli coupé en petits bouquets

1. Dans une grande mijoteuse, mélanger tous les ingrédients, à l'exception du brocoli.

2. Couvrir et cuire de 6 à 7 heures à faible intensité.

3. Environ 30 minutes avant la fin de la cuisson, ajouter le brocoli dans la mijoteuse. Remuer.

Marjorie et son conjoint ont des diètes et des goûts bien différents, et la mijoteuse est idéale pour leur permettre quand même de toujours manger en même temps. Pendant que le repas de l'un mijote dans l'appareil, l'autre peut préparer son plat afin que tout soit prêt au même moment !

« J'aime "véganiser" mes recettes pour en créer de nouvelles à la mijoteuse ! J'ai adoré ce cari goûteux ! Même en mode végé, il n'y a rien comme un bon repas réconfortant ! »

*Le lait de coco Haiku est l'un des seuls qui supporte bien la cuisson de longue durée.

PAR PORTION	
Calories	327
Protéines	22 g
M.G.	10 g
Glucides	38 g
Fibres	3 g
Fer	4 mg
Calcium	233 mg
Sodium	911 mg

Tofu à l'orange

Préparation **20 minutes** / Cuisson à faible intensité **3 heures 45 minutes**
Cuisson à intensité élevée **15 minutes** / Quantité **4 portions**

1 bloc de tofu ferme de 454 g

2 carottes coupées en juliennes

15 ml (1 c. à soupe) de graines de sésame grillées

Pour la sauce :

125 ml (½ tasse) de bouillon de légumes

125 ml (½ tasse) de jus d'orange

125 ml (½ tasse) d'échalotes sèches (françaises) hachées

60 ml (¼ de tasse) de sauce soya

60 ml (¼ de tasse) de marmelade d'oranges

30 ml (2 c. à soupe) de vinaigre de riz

30 ml (2 c. à soupe) de gingembre râpé

30 ml (2 c. à soupe) de fécule de maïs

15 ml (1 c. à soupe) d'ail haché

2,5 ml (½ c. à thé) de sambal oelek

Sel et poivre au goût

1. À l'aide d'un linge propre ou d'une feuille de papier absorbant, éponger le tofu afin de retirer l'excédent d'eau. Couper le tofu en cubes.

2. Dans une petite mijoteuse, mélanger les ingrédients de la sauce. Ajouter le tofu et remuer.

3. Couvrir et cuire de 3 heures 45 minutes à 5 heures 45 minutes à faible intensité.

4. Ajouter la julienne de carottes dans la mijoteuse. Couvrir et poursuivre la cuisson 15 minutes à intensité élevée.

5. Au moment de servir, parsemer de graines de sésame.

PAR PORTION	
Calories	255
Protéines	13 g
M.G.	10 g
Glucides	48 g
Fibres	12 g
Fer	3 mg
Calcium	71 mg
Sodium	1023 mg

Sauce aux lentilles et poivrons rôtis

Préparation 15 minutes / Cuisson à faible intensité 8 heures / Quantité 6 portions

250 ml (1 tasse) de lentilles vertes sèches, rincées et égouttées

375 ml (1 ½ tasse) de bouillon de légumes

125 ml (½ tasse) de poivrons rouges rôtis coupés en dés

½ sac de mélange de légumes frais pour sauce à spaghetti de 700 g

1 litre (4 tasses) de sauce marinara

30 ml (2 c. à soupe) de sauce soya

15 ml (1 c. à soupe) de sucre

Poivre au goût

30 ml (2 c. à soupe) de basilic frais haché

1. Dans une grande mijoteuse, mélanger les lentilles avec le bouillon de légumes, les poivrons rôtis, le mélange de légumes, la sauce marinara, la sauce soya et le sucre. Poivrer.

2. Couvrir et cuire de 8 à 9 heures à faible intensité.

3. Au moment de servir, garnir de basilic.

Cet accompagnement vous fournira 6 g de protéines supplémentaires : vous obtiendrez ainsi un repas suffisamment rassasiant !

En accompagnement

Fusillis de blé entier à la courgette et épinards

Dans une casserole d'eau bouillante salée, cuire 500 ml (2 tasses) de fusillis de blé entier *al dente*. Égoutter. Dans une grande poêle, chauffer 15 ml (1 c. à soupe) d'huile d'olive à feu moyen. Cuire 1 courgette coupée en demi-rondelles et 500 ml (2 tasses) de bébés épinards hachés de 3 à 4 minutes. Ajouter les fusillis dans la poêle. Saler, poivrer et remuer.

PAR PORTION	
Calories	449
Protéines	24 g
M.G.	7 g
Glucides	77 g
Fibres	14 g
Fer	5 mg
Calcium	382 mg
Sodium	536 mg

Mijoté de légumes crémeux

Préparation **20 minutes** / Cuisson à faible intensité **6 heures** / Quantité **4 portions**

1 boîte de haricots blancs de 540 ml, rincés et égouttés

500 ml (2 tasses) de bouillon de légumes

1 boîte de lait évaporé de 354 ml

60 ml (¼ de tasse) de farine tout usage

15 ml (1 c. à soupe) d'ail haché

15 ml (1 c. soupe) de thym frais haché

2 pommes de terre à chair jaune pelées et coupées et dés

1 carotte coupée en dés

1 branche de céleri coupée en dés

1 oignon haché

1 poireau émincé

250 ml (1 tasse) de pois verts surgelés

8 choux de Bruxelles coupés en quatre

1. Dans une grande mijoteuse, mélanger tous les ingrédients, à l'exception des pois verts et des choux de Bruxelles.

2. Couvrir et cuire de 6 à 7 heures à faible intensité.

3. Environ 1 heure avant la fin de la cuisson, ajouter les pois verts et les choux de Bruxelles dans la mijoteuse. Remuer.

Du lait évaporé dans mon mijoté ?

Pour plusieurs, le lait évaporé est synonyme de desserts crémeux, mais on peut l'utiliser pour cuisiner toutes sortes de plats bien goûteux. Parce qu'il résiste sans coaguler à des températures plus élevées que le lait frais, il est d'ailleurs un choix particulièrement futé pour les recettes à la mijoteuse.

PAR PORTION	
Calories	467
Protéines	26 g
M.G.	25 g
Glucides	38 g
Fibres	4 g
Fer	3 mg
Calcium	494 mg
Sodium	646 mg

Lasagne aux légumes

Préparation **25 minutes** / Cuisson à faible intensité **5 heures** / Quantité **8 portions**

1 contenant de ricotta de 475 g

250 ml (1 tasse) de parmesan râpé

625 ml (2 ½ tasses) de mozzarella râpée

Sel et poivre au goût

1 litre (4 tasses) de sauce tomate sans sel ajouté

60 ml (¼ de tasse) de pesto de basilic

5 ml (1 c. à thé) d'herbes italiennes séchées

9 pâtes à lasagne

3 demi-poivrons de couleurs variées coupés en lanières

2 petites courgettes coupées en rondelles

1 petit oignon rouge coupé en lanières

1 contenant de champignons blancs de 227 g, émincés

1. Dans un bol, mélanger la ricotta avec le parmesan et 250 ml (1 tasse) de mozzarella. Saler et poivrer.

2. Dans un autre bol, mélanger la sauce tomate avec le pesto et les herbes italiennes.

3. Huiler le contenant d'une grande mijoteuse.

4. Dans la mijoteuse, verser un peu de sauce. Casser trois pâtes à lasagne, puis les déposer dans la mijoteuse de manière à ce qu'elles en couvrent le fond. Couvrir les pâtes de la moitié de la préparation à la ricotta, de la moitié des légumes et de la moitié de la sauce restante. Couvrir de trois autres pâtes à lasagne, puis du reste de la préparation à la ricotta, des légumes et de la sauce. Couvrir des pâtes à lasagne restantes, puis parsemer du reste de la mozzarella.

5. Couvrir et cuire de 5 à 6 heures à faible intensité.

« Exquis ! J'ai vraiment trippé sur cette recette qui est la preuve qu'on peut cuisiner des pâtes à la mijoteuse. Ni trop dure, ni croûtée, mais hyper moelleuse : cette lasagne est simplement merveilleuse ! »

PAR PORTION	
Calories	715
Protéines	25 g
M.G.	16 g
Glucides	121 g
Fibres	22 g
Fer	9 mg
Calcium	228 mg
Sodium	1464 mg

Burritos aux haricots noirs et edamames

Préparation **20 minutes** / Cuisson à faible intensité **4 heures** / Quantité **4 portions**

8 tortillas moyennes

1 avocat coupé en dés

30 ml (2 c. à soupe) de coriandre fraîche émincée

Pour la garniture à burritos :

1 boîte de tomates en dés de 796 ml

250 ml (1 tasse) de riz basmati rincé et égoutté

200 ml (¾ de tasse + 4 c. à thé) de bouillon de légumes sans sel ajouté

125 ml (½ tasse) de maïs en grains

60 ml (¼ de tasse) de salsa

15 ml (1 c. à soupe) d'ail haché

5 ml (1 c. à thé) de cumin

5 ml (1 c. à thé) de chipotle

1 sachet d'assaisonnements pour burritos de 24 g

1 oignon haché

Sel et poivre au goût

1 boîte de haricots noirs de 540 ml, rincés et égouttés

250 ml (1 tasse) d'edamames décortiqués surgelés

1. Dans une grande mijoteuse, mélanger tous les ingrédients de la garniture à burritos, à l'exception des haricots noirs et des edamames.

2. Couvrir et cuire 4 heures à faible intensité, jusqu'à ce que le liquide soit complètement absorbé.

3. Environ 20 minutes avant la fin de la cuisson, ajouter les haricots noirs et les edamames dans la mijoteuse. Remuer.

4. Au centre des tortillas, répartir la garniture à burritos, l'avocat et la coriandre. Rouler les tortillas en serrant.

Sophie, son mari et leurs deux petits (et adorables !) garçons de 5 ans et 1 an raffolent du spaghetti et du porc effiloché. Que ce soit pour faire des réserves de bouffe à congeler, ou pour éviter d'allumer le four pendant l'été, chez eux, la mijoteuse fait l'unanimité !

« Vraiment bon et super efficace : les enfants ont littéralement dévoré leur burrito ! À refaire ! »

PAR PORTION	
Calories	550
Protéines	28 g
M.G.	32 g
Glucides	46 g
Fibres	6 g
Fer	5 mg
Calcium	297 mg
Sodium	917 mg

Tofu au beurre

Préparation **15 minutes** / Cuisson à faible intensité **6 heures** / Quantité **4 portions**

2 oignons verts émincés

30 ml (2 c. à soupe) de feuilles de coriandre fraîche

Pour le tofu au beurre :

1 bloc de tofu ferme de 454 g, coupé en cubes

1 boîte de lait de coco de 398 ml (de type Haiku)*

1 boîte de soupe aux tomates condensée de 284 ml

125 ml (½ tasse) de bouillon de légumes

30 ml (2 c. à soupe) de poudre de cari

30 ml (2 c. à soupe) de pâte de tomates

15 ml (1 c. à soupe) de gingembre râpé

15 ml (1 c. à soupe) d'ail haché

1 oignon haché

Sel et poivre au goût

60 ml (¼ de tasse) de yogourt grec nature 2 %

250 ml (1 tasse) de chou-fleur coupé en petits bouquets

250 ml (1 tasse) de brocoli coupé en petits bouquets

Pour le riz :

250 ml (1 tasse) de riz basmati rincé et égoutté

500 ml (2 tasses) de bouillon de légumes

1. Dans une grande mijoteuse, mélanger les ingrédients du tofu au beurre, à l'exception du yogourt, du chou-fleur et du brocoli.

2. Couvrir et cuire de 6 à 8 heures à faible intensité. À la mi-cuisson, ajouter le yogourt, le chou-fleur et le brocoli. Remuer.

3. Dans une casserole, déposer le riz et verser le bouillon. Porter à ébullition, puis couvrir et laisser mijoter de 18 à 20 minutes à feu doux, jusqu'à absorption complète du liquide.

4. Au moment de servir, répartir le riz dans les assiettes. Garnir chaque portion de tofu au beurre, d'oignons verts et de coriandre.

« Ce que j'ai préféré dans cette recette, c'est la sauce savoureuse ! La quantité était parfaite et il y en avait assez pour que ça s'imbibe bien dans le riz. Miam ! Je garde en banque cette recette végé si simple à préparer ! »

*Le lait de coco Haiku est l'un des seuls qui supporte bien la cuisson de longue durée.

Soupes réconfortantes

Servie en entrée ou en lunch sur l'heure du dîner, ou simplement pour un souper léger, la soupe maison est un plat que j'ai toujours adoré. Et parce que rien ne concentre mieux les saveurs que lorsqu'elles sont cuites longuement et doucement dans la mijoteuse, c'est ma façon préférée de préparer mes soupes !

PAR PORTION	
Calories	480
Protéines	25 g
M.G.	23 g
Glucides	47 g
Fibres	5 g
Fer	4 mg
Calcium	231 mg
Sodium	1808 mg

Soupe italienne aux saucisses et tortellinis

Préparation **20 minutes** / Cuisson à faible intensité **6 heures 35 minutes**
Cuisson à intensité élevée **25 minutes** / Quantité **6 portions**

4 saucisses italiennes douces

15 ml (1 c. à soupe) d'huile d'olive

1,75 litre (7 tasses) de bouillon de poulet réduit en sodium

1 boîte de pâte de tomates de 156 ml

1 oignon haché

15 ml (1 c. à soupe) d'ail haché

15 ml (1 c. à soupe) de thym frais haché

1 feuille de laurier

Sel et poivre au goût

350 g (environ ¾ de lb) de tortellinis au fromage

2 petites courgettes coupées en demi-rondelles

3 demi-poivrons de couleurs variées coupés en dés

30 ml (2 c. à soupe) de basilic frais émincé

125 ml (½ tasse) de parmesan râpé

1. Retirer la membrane des saucisses et défaire la chair en petits morceaux.

2. Dans une poêle, chauffer l'huile à feu moyen. Cuire la chair de saucisses de 5 à 7 minutes, jusqu'à ce qu'elle ait perdu sa teinte rosée.

3. Transférer le chair de saucisses dans une grande mijoteuse. Ajouter le bouillon de poulet, la pâte de tomates, l'oignon, l'ail, le thym et la feuille de laurier. Saler, poivrer et remuer.

4. Couvrir et cuire de 6 heures 35 minutes à 7 heures 35 minutes. à faible intensité.

5. Ajouter les tortellinis, les courgettes, les poivrons et le basilic dans la mijoteuse. Remuer. Couvrir et poursuivre la cuisson 25 minutes à intensité élevée.

6. Au moment de servir, garnir de parmesan.

Soupe à l'oignon

Préparation **20 minutes** / Cuisson à intensité élevée **3 heures**
Cuisson à faible intensité **6 heures** / Quantité **4 portions**

PAR PORTION	
Calories	628
Protéines	22 g
M.G.	29 g
Glucides	66 g
Fibres	5 g
Fer	3 mg
Calcium	546 mg
Sodium	1478 mg

6 gros oignons émincés

60 ml (¼ de tasse) de beurre fondu

80 ml (⅓ de tasse) de sirop d'érable

45 ml (3 c. à soupe) de vinaigre balsamique

Sel et poivre au goût

45 ml (3 c. à soupe) de farine tout usage

1 litre (4 tasses) de bouillon de bœuf

375 ml (1 ½ tasse) de bière blonde

3 tiges de thym frais effeuillées et hachées

1 feuille de laurier

⅓ de baguette de pain coupée en huit tranches

375 ml (1 ½ tasse) de gruyère râpé

1. Dans une grande mijoteuse, mélanger les oignons avec le beurre, le sirop d'érable et le vinaigre. Saler et poivrer.

2. Cuire sans le couvercle de 3 à 4 heures à intensité élevée en remuant de temps en temps, jusqu'à ce que les oignons soient caramélisés.

3. Saupoudrer de farine et remuer. Ajouter le bouillon de bœuf, la bière et les fines herbes. Remuer de nouveau.

4. Couvrir et cuire de 6 à 7 heures à faible intensité.

5. Au moment de servir, préchauffer le four à 190 °C (375 °F).

6. Sur une plaque de cuisson tapissée de papier parchemin, déposer les tranches de pain. Cuire au four de 10 à 12 minutes.

7. Répartir la soupe dans quatre bols allant au four. Garnir chaque portion de deux tranches de pain grillées. Couvrir de gruyère.

8. Déposer les bols sur une plaque de cuisson. Régler le four à la position « gril » (*broil*) et faire gratiner le fromage de 1 à 2 minutes.

Pour gagner un peu de temps

Cette recette est vraiment délicieuse, mais pour réduire le temps de cuisson, on peut aussi faire revenir les oignons dans une poêle avant de les mettre dans la mijoteuse.

PAR PORTION	
Calories	330
Protéines	20 g
M.G.	9 g
Glucides	43 g
Fibres	3 g
Fer	1 mg
Calcium	270 mg
Sodium	449 mg

Soupe crémeuse au poulet et gnocchis

Préparation **25 minutes** / Cuisson à faible intensité **6 heures**
Cuisson à intensité élevée **20 minutes** / Quantité **8 portions**

2 poitrines de poulet sans peau

2 carottes moyennes coupées en rondelles

2 branches de céleri coupées en dés

1 oignon coupé en dés

15 ml (1 c. à soupe) d'ail haché

15 ml (1 c. à soupe) d'herbes italiennes séchées

1 litre (4 tasses) de bouillon de poulet

Sel et poivre au goût

30 ml (2 c. à soupe) de fécule de maïs

2 boîtes de lait évaporé de 354 ml chacune

1 paquet de gnocchis de 500 g

500 ml (2 tasses) de bébés épinards

1. Dans une grande mijoteuse, mélanger les poitrines de poulet avec les carottes, le céleri, l'oignon, l'ail, les herbes italiennes et le bouillon de poulet. Saler et poivrer.

2. Couvrir et cuire de 6 à 8 heures à faible intensité.

3. Retirer les poitrines de poulet de la mijoteuse et les déposer dans une assiette. Effilocher la chair à l'aide de deux fourchettes. Remettre le poulet effiloché dans la mijoteuse et remuer.

4. Dans un bol, délayer la fécule de maïs dans le lait évaporé.

5. Verser la préparation au lait évaporé dans la mijoteuse et remuer. Ajouter les gnocchis et remuer de nouveau.

6. Couvrir et poursuivre la cuisson de 20 à 30 minutes à intensité élevée.

7. Au moment de servir, ajouter les épinards et remuer.

«En tant que maman monoparentale, cette recette me sauve la vie les soirs où je n'ai pas le temps de cuisiner. Je prépare mes ingrédients la veille et je démarre la mijoteuse avant de partir le matin. Au retour de l'école et du boulot, on a un bon souper tout chaud!»

Josée ne peut se passer de sa mijoteuse pour régler la question des soupers dans son quotidien bien chargé. Maman de deux pré-ados, elle sait qu'elle peut compter sur son appareil pour concilier travail et famille. Elle s'en sert notamment pour avoir des repas prêts rapidement les soirs de danse de sa plus vieille ou pour faire des lunchs savoureux avec les restants.

PAR PORTION	
Calories	252
Protéines	12 g
M.G.	5 g
Glucides	43 g
Fibres	10 g
Fer	5 mg
Calcium	298 mg
Sodium	749 mg

Soupe minestrone aux légumes du jardin

Préparation **25 minutes** / Cuisson à faible intensité **6 heures**
Cuisson à intensité élevée **30 minutes** / Quantité **4 portions**

1 oignon coupé en dés

15 ml (1 c. à soupe) d'ail haché

2 carottes coupées en dés

375 ml (1 ½ tasse) de rutabaga pelé et coupé en dés

2 branches de céleri coupées en dés

1 boîte de tomates en dés de 540 ml

60 ml (¼ de tasse) de pâte de tomates

1 feuille de laurier

15 ml (1 c. à soupe) de thym frais haché

1,5 litre (6 tasses) de bouillon de légumes réduit en sodium

Sel et poivre au goût

250 ml (1 tasse) de haricots verts coupés en tronçons

10 asperges coupées en petits tronçons

2 petites courgettes coupées en dés

125 ml (½ tasse) de petites coquilles

125 ml (½ tasse) de parmesan râpé

1. Dans une grande mijoteuse, mélanger l'oignon avec l'ail, les carottes, le rutabaga, le céleri, les tomates en dés, la pâte de tomates, le laurier, le thym et le bouillon. Saler, poivrer et remuer.

2. Couvrir et cuire de 6 à 7 heures à faible intensité.

3. Ajouter les haricots, les asperges, les courgettes et les petites coquilles dans la mijoteuse. Couvrir et poursuivre la cuisson 30 minutes à intensité élevée.

4. Répartir la soupe dans les bols. Garnir chaque portion de parmesan.

« L'été, je fais une soupe aux légumes toutes les semaines en variant les saveurs en fonction des légumes que j'ai sous la main. J'utilise les légumes de mes paniers bio, qui sont différents chaque fois, et j'ajoute souvent un cube de pesto maison congelé. Une soupe aux légumes, c'est bon peu importe le temps de l'année! »

Anne-Marie adore sa mijoteuse! Toujours un peu à la course le soir, la maman de deux jeunes enfants vante le superpouvoir de son appareil préféré, soit faire son souper pour elle pour qu'il soit prêt au retour de la garderie. Du début de l'automne à la fin de l'hiver, chez elle, la mijoteuse est la meilleure des coéquipières!

PAR PORTION	
Calories	437
Protéines	35 g
M.G.	11 g
Glucides	49 g
Fibres	2 g
Fer	4 mg
Calcium	68 mg
Sodium	1000 mg

Soupe pho tonkinoise

Préparation **25 minutes** / Cuisson à faible intensité **6 heures**
Cuisson à intensité élevée **15 minutes** / Quantité **4 portions**

450 g (1 lb) de tranches de bœuf à fondue

30 ml (2 c. à soupe) de jus de lime frais

200 g (environ ½ lb) de vermicelles de riz

500 ml (2 tasses) de bébés épinards

375 ml (1 ½ tasse) de fèves germées

30 ml (2 c. à soupe) de feuilles de coriandre fraîche

1 lime coupée en quartiers

Pour le bouillon :

1 litre (4 tasses) de bouillon de poulet sans sel ajouté

1 litre (4 tasses) de bouillon de bœuf sans sel ajouté

30 ml (2 c. à soupe) de sauce de poisson

15 ml (1 c. à soupe) d'ail haché

2,5 ml (½ c. à thé) de cardamome moulue

2 oignons émincés

2 tiges de citronnelle

1 anis étoilé

1 clou de girofle

1 morceau de gingembre de 5 cm (2 po), émincé

1 feuille de laurier

½ bâton de cannelle

1. Dans une grande mijoteuse, déposer les ingrédients du bouillon.

2. Couvrir et cuire 6 heures à faible intensité.

3. À l'aide d'une passoire fine, filtrer le bouillon au-dessus d'un grand bol.

4. Remettre le bouillon dans la mijoteuse. Couvrir et poursuivre la cuisson 10 minutes à intensité élevée.

5. Ajouter les tranches de bœuf à fondue et le jus de lime dans la mijoteuse. Couvrir et prolonger la cuisson de 5 minutes.

6. Pendant ce temps, réhydrater les vermicelles de riz selon les indications de l'emballage.

7. Répartir les vermicelles, les épinards, le bouillon chaud et les tranches de bœuf dans les bols. Garnir de fèves germées et de coriandre. Servir avec les quartiers de lime.

Catherine étant à la tête d'une famille de cinq, les repas cuisinés à la mijoteuse lui font gagner énormément de temps les soirs de semaine : zéro casse-tête, tous les ingrédients vont à la même place, ça cuit toute la journée et le résultat est toujours savoureux. Les recettes qu'elle préfère y cuisiner ? Des rôtis de palette, des côtes levées et des poulets entiers !

«Je n'avais jamais mangé de soupe pho avant de tester cette recette et je dois avouer qu'elle est absolument parfaite. À la fois généreuse et légère, elle a vraiment tout pour plaire!»

PAR PORTION	
Calories	531
Protéines	32 g
M.G.	10 g
Glucides	85 g
Fibres	17 g
Fer	10 mg
Calcium	155 mg
Sodium	1299 mg

Soupe de lentilles au cari et citron

Préparation **20 minutes** / Cuisson à faible intensité **6 heures** / Quantité **4 portions**

30 ml (2 c. à soupe) d'huile d'olive

2 oignons hachés

15 ml (1 c. à soupe) d'ail haché

2 litres (8 tasses) de bouillon de poulet sans sel ajouté

500 ml (2 tasses) de lentilles corail ou rouges sèches

60 ml (¼ de tasse) de persil frais haché

30 ml (2 c. à soupe) de poudre de cari

15 ml (1 c. à soupe) de thym frais haché

5 ml (1 c. à thé) de curcuma

3 branches de céleri coupées en dés

2 carottes coupées en dés

1 gros citron (zeste et jus)

Sel et poivre au goût

1. Dans une poêle, chauffer l'huile à feu moyen. Cuire les oignons et l'ail de 1 à 2 minutes.

2. Transférer la préparation dans une grande mijoteuse. Ajouter le reste des ingrédients et remuer.

3. Couvrir et cuire de 6 à 8 heures à faible intensité.

Même si elle habite seule avec son chat Barnabé, Marie-Septembre adore préparer des petits plats pour ses amis et sa famille comme une vraie petite maman ! Ce n'est donc pas étonnant d'apprendre que la mijoteuse est son alliée lorsqu'il s'agit de cuisiner des plats réconfortants en plus grande quantité. Son astuce infaillible : elle se sert de son emballeuse sous-vide pour conserver hermétiquement les restes et les congèle en portions individuelles pour plus tard !

« J'ai cuisiné cette recette quand je recevais mon amie qui raffole du cari et de la cuisine indienne : elle a absolument adoré ! En plus, pendant que ça mijotait, ça sentait si bon dans la maison ! »

4 hr
HIGH
HAUT
6 hr
8 hr
LOW
BAS

PAR PORTION	
Calories	500
Protéines	32 g
M.G.	20 g
Glucides	50 g
Fibres	9 g
Fer	7 mg
Calcium	192 mg
Sodium	1241 mg

Soupe au bœuf et légumes

Préparation **25 minutes** / Cuisson à faible intensité **7 heures** / Quantité **4 portions**

15 ml (1 c. à soupe) d'huile d'olive

450 g (1 lb) de bœuf haché maigre

1 oignon coupé en dés

15 ml (1 c. à soupe) d'ail haché

2 branches de céleri coupées en dés

2 carottes coupées en dés

2 pommes de terre pelées et coupées en dés

2 petites patates douces pelées et coupées en dés

1 boîte de pâte de tomates de 156 ml

1 boîte de tomates en dés de 540 ml

15 ml (1 c. à soupe) d'herbes italiennes séchées

1 litre (4 tasses) de bouillon de bœuf réduit en sodium

Sel et poivre au goût

150 g (1/3 de lb) de haricots verts coupés en tronçons

375 ml (1 1/2 tasse) de chou kale émincé

1. Dans une poêle, chauffer l'huile à feu moyen. Cuire le bœuf haché, l'oignon et l'ail de 5 à 7 minutes en égrainant la viande à l'aide d'une cuillère en bois, jusqu'à ce qu'elle ait perdu sa teinte rosée.

2. Transférer la préparation au bœuf haché dans une grande mijoteuse. Ajouter le céleri, les carottes, les pommes de terre, les patates douces, la pâte de tomates, les tomates en dés, les herbes italiennes et le bouillon de bœuf. Saler et poivrer.

3. Couvrir et cuire de 7 à 8 heures à faible intensité.

4. Environ 30 minutes avant la fin de la cuisson, ajouter les haricots et le chou kale.

PAR PORTION	
Calories	422
Protéines	9 g
M.G.	24 g
Glucides	52 g
Fibres	8 g
Fer	4 mg
Calcium	186 mg
Sodium	1110 mg

Potage à la courge, cari et lait de coco

Préparation **20 minutes** / Cuisson à faible intensité **7 heures** / Quantité **4 portions**

1 boîte de lait de coco de 398 ml (de type Haiku)*

30 ml (2 c. à soupe) de pâte de cari rouge

1,5 litre (6 tasses) de bouillon de légumes

1 oignon haché

2 petites carottes pelées et coupées en rondelles

1 courge Butternut pelée et coupée en cubes

60 ml (¼ de tasse) de sirop d'érable

15 ml (1 c. à soupe) d'ail haché

30 ml (2 c. à soupe) de gingembre râpé

Sel et poivre au goût

30 ml (2 c. à soupe) de coriandre fraîche émincée

1. Si désiré, réserver 60 ml (¼ de tasse) de lait de coco pour décorer les bols au moment de servir.

2. Dans une grande mijoteuse, mélanger le lait de coco avec la pâte de cari, le bouillon, l'oignon, les carottes, la courge, le sirop d'érable, l'ail et le gingembre. Saler et poivrer.

3. Couvrir et cuire de 7 à 8 heures à faible intensité.

4. Transvider la préparation dans le contenant du mélangeur électrique. Mélanger de 1 à 2 minutes, jusqu'à l'obtention d'une préparation lisse.

5. Au moment de servir, garnir de coriandre et, si désiré, du lait de coco réservé.

« Le goût et la texture de ce potage étaient tellement parfaits, je pourrais ne cuisiner que cette soupe pour le reste de ma vie ! Même Clémentine a adoré, malgré le petit côté relevé ! »

*Le lait de coco Haiku est l'un des seuls qui supporte bien la cuisson de longue durée.

PAR PORTION	
Calories	412
Protéines	15 g
M.G.	18 g
Glucides	52 g
Fibres	17 g
Fer	6 mg
Calcium	223 mg
Sodium	851 mg

Soupe végé au quinoa

Préparation **25 minutes** / Cuisson à faible intensité **6 heures** / Quantité **4 portions**

1 avocat coupé en dés

375 ml (1 ½ tasse) de croustilles de maïs nature (de type Fritos)

125 ml (½ tasse) de crème sure 14 %

30 ml (2 c. à soupe) de coriandre fraîche émincée

Pour la soupe :

1,25 litre (5 tasses) de bouillon de légumes réduit en sodium

1 boîte de tomates en dés de 540 ml

1 boîte de haricots rouges de 540 ml, rincés et égouttés

500 ml (2 tasses) de sauce tomate

180 ml (¾ de tasse) de quinoa, rincé et égoutté

30 ml (2 c. à soupe) de poudre de chili

15 ml (1 c. à soupe) d'ail haché

15 ml (1 c. à soupe) de paprika fumé doux

10 ml (2 c. à thé) de cumin

5 ml (1 c. à thé) d'origan séché

1 oignon coupé en dés

1 poivron rouge coupé en dés

1 jalapeno haché

Sel et poivre au goût

1. Dans une grande mijoteuse, mélanger tous les ingrédients de la soupe.

2. Couvrir et cuire 6 heures à faible intensité.

3. Répartir la soupe dans les bols. Garnir chaque portion d'avocat, de croustilles de maïs, de crème sure et de coriandre.

Soupe au chou et jambon

Préparation **25 minutes** / Cuisson à faible intensité **7 heures** / Quantité **4 portions**

PAR PORTION	
Calories	329
Protéines	25 g
M.G.	6 g
Glucides	46 g
Fibres	4 g
Fer	2 mg
Calcium	78 mg
Sodium	2 362 mg

500 ml (2 tasses) de chou de Savoie coupé en dés

1 carotte coupée en dés

1 oignon coupé en dés

15 ml (1 c. à soupe) d'ail haché

1,5 litre (6 tasses) de bouillon de poulet réduit en sodium

450 g (1 lb) de jambon fumé coupé en dés

250 ml (1 tasse) de maïs en grains

125 ml (½ tasse) de riz blanc à grains longs

3 tiges de thym frais

1 feuille de laurier

Sel et poivre au goût

80 ml (⅓ de tasse) d'origan frais

1. Dans une grande mijoteuse, mélanger le chou avec la carotte, l'oignon, l'ail, le bouillon de poulet, le jambon, le maïs en grains, le riz, le thym et le laurier. Saler et poivrer.

2. Couvrir et cuire de 7 à 8 heures à faible intensité.

3. Répartir la soupe dans les bols. Garnir chaque portion d'origan.

Mijoteuse autrement

Saviez-vous que la mijoteuse peut servir à préparer du yogourt maison ? Ou encore que l'on peut y cuisiner un risotto aux champignons et même un confit d'oignons au bacon ? Vous trouverez ici de délicieuses idées pour vous servir de votre appareil de manière inusitée !

Yogourt nature maison

PAR PORTION 250 ml (1 tasse)	
Calories	167
Protéines	10 g
M.G.	8 g
Glucides	13 g
Fibres	0 g
Fer	0 mg
Calcium	324 mg
Sodium	8 mg

Préparation **5 minutes** / Cuisson à intensité élevée **2 heures 30 minutes**
Temps de repos **7 heures** / Réfrigération **8 heures**
Quantité **12 bocaux de 250 ml (1 tasse) chacun**

3 litres (12 tasses) de lait 3,25 %

180 ml (¾ de tasse) de yogourt nature 2 %

1. Dans une grande mijoteuse, verser le lait. Couvrir et cuire de 2 heures 30 minutes à 3 heures à intensité élevée, en remuant de temps en temps et en vérifiant la température toutes les heures à l'aide d'un thermomètre à cuisson, jusqu'à ce qu'il indique une température de 85 °C (185 °F).

2. Éteindre la mijoteuse et retirer le couvercle. Laisser reposer de 1 à 2 heures à température ambiante, jusqu'à ce que le thermomètre indique une température de 43 °C (109 °F).

3. Dans un bol, mélanger 500 ml (2 tasses) du lait tiède avec le yogourt. Transférer la préparation dans la mijoteuse et remuer.

4. Envelopper la mijoteuse dans une serviette de bain afin qu'elle conserve une température adéquate. Laisser reposer de 6 à 9 heures à température ambiante.

5. Répartir le yogourt dans les bocaux. Réfrigérer 8 heures ou toute une nuit. Ce yogourt se conserve 2 semaines au réfrigérateur.

Vous pouvez accélérer le processus de l'étape 4 en déposant le contenant de la mijoteuse dans un évier que vous remplirez d'eau tiède jusqu'aux deux tiers de la hauteur de la mijoteuse. Laissez reposer la préparation de 3 à 4 heures. De plus, afin d'obtenir un yogourt plus épais (de style grec), vous pouvez égoutter la préparation dans un coton à fromage jusqu'à l'obtention de la texture désirée.

Du yogourt à la mijoteuse ?

Qui aurait cru qu'avec une mijoteuse, il était aussi facile de faire son propre yogourt à la maison ? Et en plus, il est drôlement bon ! Léger et moins aigre que le yogourt du commerce, il revient également beaucoup moins cher et peut se conserver au frigo jusqu'à deux semaines. On aime ça !

PAR PORTION 250 ml (1 tasse)	
Calories	60
Protéines	6 g
M.G.	4 g
Glucides	1 g
Fibres	0 g
Fer	1 mg
Calcium	9 mg
Sodium	16 mg

Bouillon de poulet

Préparation **15 minutes** / Cuisson à faible intensité **8 heures**
Quantité **10 bocaux de 250 ml (1 tasse) chacun**

1 kg (environ 2 ¼ lb) de carcasses de poulet

2,5 ml (½ c. à thé) de poudre d'oignon

2,5 ml (½ c. à thé) de poudre d'ail

3 tiges de thym frais

2 tiges de persil frais

2 carottes émincées grossièrement

2 branches de céleri émincées grossièrement

2 gousses d'ail écrasées

1 gros oignon coupé en quartiers

Sel et poivre au goût

1. Dans une grande mijoteuse, mélanger tous les ingrédients avec 3 litres (12 tasses) d'eau.

2. Couvrir et cuire 8 heures à faible intensité. Au besoin, écumer le bouillon quelques fois pendant la cuisson.

3. Au-dessus d'un grand bol, filtrer le bouillon à l'aide d'une passoire fine. Jeter les carcasses et les tiges de thym et de persil. Si désiré, réserver les légumes pour une utilisation ultérieure.

4. Répartir le bouillon dans les bocaux. Réfrigérer jusqu'à ce que le gras fige à la surface du bouillon. Retirer le gras à l'aide d'une cuillère.

« Quand je cuis un poulet, je conserve souvent la carcasse et quelques légumes pour préparer un bon bouillon maison. Une fois mon poulet désossé, je garde la carcasse au frigo et, le lendemain, je le dépose dans la mijoteuse. J'ajoute des légumes un peu fatigués, des herbes séchées et je couvre le tout d'eau, puis je démarre la mijoteuse sans plus de tracas. Même pas besoin de surveiller la cuisson! »

PAR PORTION 30 ml (2 c. à soupe)	
Calories	81
Protéines	2 g
M.G.	2 g
Glucides	13 g
Fibres	1 g
Fer	0 mg
Calcium	32 mg
Sodium	64 mg

Confit d'oignons et bacon

Préparation **25 minutes** / Cuisson à faible intensité **3 heures 30 minutes**
Quantité **500 ml (2 tasses)**

10 tranches de bacon coupées en morceaux

6 oignons émincés

60 ml (¼ de tasse) de mélasse

60 ml (¼ de tasse) de sirop d'érable

60 ml (¼ de tasse) de vinaigre balsamique

15 ml (1 c. à soupe) de thym frais haché

5 ml (1 c. à thé) de romarin frais haché

Sel et poivre au goût

1. Chauffer une poêle à feu moyen. Cuire le bacon de 12 à 15 minutes, jusqu'à ce qu'il soit doré et croustillant. Égoutter et déposer sur du papier absorbant.

2. Retirer le surplus de gras contenu dans la poêle, en prenant soin d'en conserver environ 30 ml (2 c. à soupe). Cuire les oignons dans la poêle de 4 à 5 minutes.

3. Ajouter la mélasse, le sirop d'érable et le vinaigre balsamique. Porter à ébullition.

4. Transférer la préparation aux oignons dans la mijoteuse. Ajouter le bacon et les fines herbes. Saler, poivrer et remuer.

5. Couvrir et cuire de 3 heures 30 minutes à 4 heures à faible intensité.

Partout, le confit d'oignons !

Le confit d'oignons a toujours beaucoup de succès sur un plateau de fromages d'ici, ou servi avec des craquelins et des morceaux de pain. C'est aussi l'ajout parfait pour donner du goût à nos grilled cheese gourmets, ou encore pour garnir nos petites bouchées quand on se fait une raclette pour souper !

PAR PORTION	
Calories	243
Protéines	11 g
M.G.	18 g
Glucides	10 g
Fibres	1 g
Fer	0 mg
Calcium	99 mg
Sodium	315 mg

Brie fondant pomme et pacanes

Préparation **15 minutes** / Cuisson à intensité élevée **1 heure 30 minutes**
Quantité **6 portions**

1 brie d'environ 300 g

80 ml (⅓ de tasse) de pacanes hachées grossièrement

Pour la garniture à la pomme :

1 pomme Gala pelée et coupée en cubes

60 ml (¼ de tasse) de canneberges séchées

15 ml (1 c. à soupe) de cassonade

7,5 ml (½ c. à soupe) de jus de citron frais

5 ml (1 c. à thé) de fécule de maïs

1. Dans un bol, mélanger les ingrédients de la garniture avec 30 ml (2 c. à soupe) d'eau.

2. Dans un plat de cuisson légèrement plus grand que le brie, déposer le fromage. Répartir la garniture sur le pourtour du brie, puis déposer le plat dans la mijoteuse.

3. Couvrir et cuire de 1 heure 30 minutes à 1 heure 45 minutes à intensité élevée, jusqu'à ce que les cubes de pomme soient cuits et que le brie soit fondant.

4. Au moment de servir, parsemer de pacanes.

« J'ai adoré réaliser cette recette à la mijoteuse : parfait pour recevoir, ça cuit tout seul pendant que je profite de l'apéro avec mes invités. Je referai assurément cette recette quand j'inviterai mes amis à souper ! »

PAR PORTION	
Calories	347
Protéines	13 g
M.G.	27 g
Glucides	15 g
Fibres	4 g
Fer	2 mg
Calcium	364 mg
Sodium	855 mg

Trempette ranch au fromage et artichauts

Préparation **20 minutes** / Cuisson à faible intensité **3 heures** / Quantité **10 portions**

½ chou-fleur

1 boîte de cœurs d'artichauts de 398 ml, égouttés

1 contenant de bébés épinards de 142 g

1 paquet de fromage à la crème de 250 g, coupé en cubes

1 sachet de mélange pour salades et trempettes ranch de 28 g

500 ml (2 tasses) de mozzarella râpée

250 ml (1 tasse) de parmesan râpé

125 ml (½ tasse) de poivrons rouges rôtis coupés en dés

125 ml (½ tasse) de mayonnaise

60 ml (¼ de tasse) de basilic frais haché

60 ml (¼ de tasse) d'oignons verts hachés

15 ml (1 c. à soupe) d'ail haché

Sel et poivre au goût

1. Dans le contenant du robot culinaire, déposer le chou-fleur. Mélanger jusqu'à l'obtention d'une texture granuleuse.

2. Hacher les artichauts et les épinards.

3. Dans la mijoteuse, mélanger tous les ingrédients.

4. Couvrir et cuire de 3 à 4 heures à faible intensité.

PAR PORTION	
Calories	550
Protéines	31 g
M.G.	42 g
Glucides	13 g
Fibres	2 g
Fer	4 mg
Calcium	360 mg
Sodium	545 mg

Frittata à la provençale

Préparation **20 minutes** / Cuisson à faible intensité **2 heures 30 minutes**
Quantité **4 portions**

45 ml (3 c. à soupe) d'huile d'olive

1 oignon haché

1 paquet de chorizo coupé en dés de 175 g

10 œufs

60 ml (¼ de tasse) de crème à cuisson 15 %

125 ml (½ tasse) de tomates séchées émincées

30 ml (2 c. à soupe) de persil frais haché

10 ml (2 c. à thé) de thym frais haché

5 ml (1 c. à thé) de paprika fumé doux

Sel et poivre au goût

100 g (3 ½ oz) de fromage de chèvre émietté

15 ml (1 c. à soupe) de vinaigre balsamique

5 ml (1 c. à thé) de miel

1 litre (4 tasses) de roquette

1. Couvrir l'intérieur d'une grande mijoteuse de papier parchemin.

2. Dans une poêle, chauffer 15 ml (1 c. à soupe) d'huile à feu moyen. Cuire l'oignon et le chorizo de 3 à 4 minutes, jusqu'à ce qu'ils soient légèrement dorés. Transférer la préparation au chorizo dans la mijoteuse.

3. Dans un grand bol, fouetter les œufs avec la crème, les tomates séchées, le persil, le thym et le paprika. Saler et poivrer. Verser dans la mijoteuse, puis couvrir de fromage de chèvre.

4. Couvrir et cuire de 2 heures 30 minutes à 3 heures à faible intensité.

5. Retirer délicatement la frittata de la mijoteuse, puis la couper en quatre portions.

6. Dans un saladier, mélanger le reste de l'huile avec le vinaigre balsamique, le miel et la roquette. Saler et poivrer.

7. Au moment de servir, garnir la frittata de salade de roquette.

PAR PORTION	
Calories	486
Protéines	21 g
M.G.	29 g
Glucides	34 g
Fibres	3 g
Fer	2 mg
Calcium	220 mg
Sodium	1248 mg

Pâtes feta-tomates

Préparation **15 minutes** / Cuisson à intensité élevée **4 heures** / Quantité **6 portions**

80 ml (1/3 de tasse) d'huile d'olive

1 contenant de tomates cerises de 680 g

80 ml (1/3 de tasse) de tomates séchées émincées

60 ml (1/4 de tasse) de vin blanc

15 ml (1 c. à soupe) d'ail haché

10 ml (2 c. à thé) de sucre

5 ml (1 c. à thé) d'origan séché

2,5 ml (1/2 c. à thé) de flocons de piment

Sel et poivre au goût

300 g (2/3 de lb) de feta

750 ml (3 tasses) de rotinis

80 ml (1/3 de tasse) de basilic frais émincé

1. Dans une grande mijoteuse, mélanger l'huile avec les tomates cerises, les tomates séchées, le vin, l'ail, le sucre, l'origan et les flocons de piment. Saler et poivrer. Déposer la feta au centre de la préparation.

2. Couvrir et cuire de 4 heures à 4 heures 30 minutes à intensité élevée, jusqu'à ce que les tomates soient confites.

3. Environ 15 minutes avant la fin de la cuisson, cuire les pâtes *al dente* dans une casserole d'eau bouillante salée. Égoutter.

4. À l'aide d'une fourchette, écraser la feta et la mélanger avec la préparation aux tomates. Ajouter les pâtes dans la mijoteuse et remuer.

5. Au moment de servir, garnir de basilic.

« Les fameuses pâtes à la feta font fureur sur les réseaux sociaux depuis le printemps, et j'ai vraiment été conquise par l'idée. Puisque la cuisson au four de ce plat m'occasionne souvent beaucoup de fumée, j'ai trouvé l'idée de faire cette recette à la mijoteuse géniale! Résultat? Des tomates parfaitement confites et une cuisson à point, sans risque de se faire boucaner! »

PAR PORTION	
Calories	523
Protéines	14 g
M.G.	19 g
Glucides	68 g
Fibres	3 g
Fer	2 mg
Calcium	206 mg
Sodium	1143 mg

Risotto aux champignons et asperges

Préparation **20 minutes** / Cuisson à intensité élevée **2 heures 6 minutes** / Quantité **6 portions**

30 ml (2 c. à soupe) d'huile d'olive

2 contenants de champignons café de 227 g chacun, émincés

1 oignon haché

10 ml (2 c. à thé) d'ail haché

500 ml (2 tasses) de riz arborio

180 ml (3/4 de tasse) de vin blanc

1,25 litre (5 tasses) de bouillon de poulet chaud

5 ml (1 c. à thé) d'herbes italiennes séchées

Sel et poivre au goût

225 g (1/2 lb) d'asperges coupées en tronçons

250 ml (1 tasse) de parmesan râpé

60 ml (1/4 de tasse) de mascarpone ou de fromage à la crème

60 ml (1/4 de tasse) de beurre

30 ml (2 c. à soupe) de persil frais haché

1. Dans une grande poêle, chauffer l'huile à feu moyen. Cuire les champignons de 4 à 5 minutes, jusqu'à ce qu'ils soient légèrement dorés.

2. Ajouter l'oignon et l'ail dans la poêle. Cuire de 1 à 2 minutes.

3. Ajouter le riz. Poursuivre la cuisson de 2 à 3 minutes, jusqu'à ce qu'il commence à être translucide.

4. Ajouter le vin et laisser mijoter de 2 à 3 minutes. Transférer la préparation dans une grande mijoteuse.

5. Ajouter le bouillon de poulet et les herbes italiennes dans la mijoteuse. Saler et poivrer.

6. Couvrir et cuire de 2 heures à 2 heures 15 minutes à intensité élevée en remuant de temps en temps, jusqu'à ce que le riz soit crémeux.

7. Ajouter les asperges. Couvrir et poursuivre la cuisson de 6 à 8 minutes.

8. Éteindre la mijoteuse. Incorporer le parmesan, le mascarpone, le beurre et le persil en remuant, jusqu'à ce que la préparation soit homogène et onctueuse. Goûter et rectifier l'assaisonnement au besoin.

PAR PORTION	
Calories	626
Protéines	30 g
M.G.	41 g
Glucides	45 g
Fibres	4 g
Fer	6 mg
Calcium	424 mg
Sodium	1902 mg

Pizza au pesto, pepperoni et fromage

Préparation **25 minutes** / Cuisson à intensité élevée **2 heures 15 minutes**
Quantité **6 portions**

250 ml (1 tasse) de sauce marinara

30 ml (2 c. à soupe) de pesto de tomates séchées

1 boule de pâte à pizza de 454 g

1 paquet de pepperoni tranché de 250 g

1 poivron vert coupé en dés

½ contenant de champignons blancs de 227 g, émincés

60 ml (¼ de tasse) de basilic frais émincé

500 ml (2 tasses) de mozzarella râpée

250 ml (1 tasse) de parmesan râpé

60 ml (¼ de tasse) d'olives noires tranchées

1. Dans un bol, mélanger la sauce marinara avec le pesto. Réserver.

2. Sur le plan de travail légèrement fariné, étirer la pâte à pizza en un ovale d'un diamètre 2,5 cm (1 po) plus grand que celui d'une grande mijoteuse.

3. Couvrir l'intérieur de la mijoteuse de papier parchemin, puis y déposer la pâte en pressant afin qu'elle remonte de 2,5 cm (1 po) sur les côtés.

4. Étaler la moitié de la préparation au pesto sur la pâte. Déposer la moitié du pepperoni, du poivron, des champignons, du basilic, de la mozzarella et du parmesan sur la pâte. Couvrir du reste de la préparation au pesto et de l'autre moitié des ingrédients. Garnir d'olives.

5. Pour éviter que la pizza ne devienne trop humide, placer un linge au-dessus de l'ouverture de la mijoteuse, sans toucher la pizza, en le maintenant en place à l'aide du couvercle.

6. Couvrir et cuire de 2 heures 15 minutes à 2 heures 45 minutes à intensité élevée, jusqu'à ce que la pâte soit cuite et que le fromage soit fondu.

7. Régler le four à la position « gril » (*broil*).

8. Transférer délicatement la pizza sur une plaque de cuisson tapissée de papier parchemin. Cuire au four de 3 à 4 minutes, jusqu'à ce que le fromage soit doré.

« ***Afin que la pizza se tienne correctement et qu'elle ne perde pas sa garniture, il est important de bien façonner le pourtour de la croûte après avoir déposé les ingrédients sur la pâte. Ne vous gênez pas sur le pesto de tomates séchées : c'est vraiment l'élément qui fait de cette recette un succès assuré ! Pour un grillage parfait, terminez la cuisson au four à broil.*** »

PAR PORTION	
Calories	767
Protéines	35 g
M.G.	44 g
Glucides	58 g
Fibres	2 g
Fer	1 mg
Calcium	812 mg
Sodium	843 mg

Macaroni au fromage

Préparation **20 minutes** / Cuisson à faible intensité **1 heure 30 minutes**
Quantité **6 portions**

500 ml (2 tasses) de lait 2%

250 ml (1 tasse) de bouillon de poulet

1 boîte de lait évaporé de 354 ml

15 ml (1 c. à soupe) de moutarde de Dijon

2,5 ml (½ c. à thé) de paprika

2,5 ml (½ c. à thé) de poudre d'oignon

2,5 ml (½ c. à thé) de poudre d'ail

Sel et poivre au goût

750 ml (3 tasses) de macaronis

500 ml (2 tasses) de cheddar jaune râpé

375 ml (1 ½ tasse) de mozzarella râpée

½ paquet de fromage à la crème de 250 g, coupé en dés

500 ml (2 tasses) de brocoli coupé en petits bouquets

1. Dans une grande mijoteuse, mélanger le lait avec le bouillon, le lait évaporé, la moutarde, le paprika, la poudre d'oignon et la poudre d'ail. Saler et poivrer.

2. Ajouter les macaronis, la moitié du cheddar, la mozzarella et le fromage à la crème dans la mijoteuse. Remuer afin de bien enrober les macaronis de tous les ingrédients.

3. Couvrir et cuire de 1 heure 30 minutes à 2 heures à faible intensité en remuant de temps en temps, jusqu'à ce que les pâtes soient cuites et que la sauce soit crémeuse.

4. Environ 15 minutes avant la fin de la cuisson, ajouter le brocoli et remuer.

5. Ajouter le reste du cheddar et remuer jusqu'à ce qu'il soit fondu. Goûter et rectifier l'assaisonnement au besoin.

PAR PORTION	
Calories	708
Protéines	28 g
M.G.	18 g
Glucides	110 g
Fibres	13 g
Fer	4 mg
Calcium	185 mg
Sodium	1157 mg

Couscous de légumes, pois chiches et saucisses

Préparation **30 minutes** / Cuisson à intensité élevée **4 heures** / Quantité **6 portions**

30 ml (2 c. à soupe) d'huile d'olive

8 saucisses merguez

2 oignons hachés

10 ml (2 c. à thé) d'ail haché

5 ml (1 c. à thé) de curcuma

5 ml (1 c. à thé) de paprika

5 ml (1 c. à thé) de coriandre moulue

2,5 ml (½ c. à thé) de cannelle

1,25 litre (5 tasses) de bouillon de légumes

1 boîte de pois chiches de 540 ml, rincés et égouttés

2 courgettes coupées en rondelles

2 carottes pelées et coupées en cubes

3 panais pelés et coupés en cubes

1 petit rutabaga pelé et coupé en cubes

80 ml (⅓ de tasse) de raisins de Corinthe

15 ml (1 c. à soupe) de sirop d'érable

10 ml (2 c. à thé) d'harissa (facultatif)

Sel au goût

45 ml (3 c. à soupe) de coriandre fraîche hachée

15 ml (1 c. à soupe) de menthe fraîche hachée

625 ml (2 ½ tasses) de couscous

Sel et poivre au goût

1. Dans une poêle, chauffer la moitié de l'huile à feu moyen. Cuire les saucisses 4 minutes. Transférer les saucisses dans une grande mijoteuse.

2. Dans la même poêle, chauffer le reste de l'huile à feu moyen. Cuire les oignons, l'ail, le curcuma, le paprika, la coriandre moulue et la cannelle de 2 à 3 minutes, jusqu'à ce que les oignons soient translucides. Transférer la préparation dans la mijoteuse.

3. Ajouter le bouillon, les pois chiches, les courgettes, les carottes, les panais, le rutabaga, les raisins, le sirop d'érable et, si désiré, l'harissa dans la mijoteuse. Saler et remuer.

4. Couvrir et cuire de 4 à 5 heures à intensité élevée, jusqu'à ce que les légumes soient cuits.

5. Ajouter la coriandre et la menthe dans la mijoteuse. Remuer.

6. Dans un bol, déposer le couscous. Prélever 625 ml (2 ½ tasses) de bouillon chaud dans la mijoteuse et le verser dans le bol. Couvrir et laisser gonfler 5 minutes avant d'égrainer le couscous à l'aide d'une fourchette.

7. Au moment de servir, garnir le couscous de la préparation aux saucisses et aux légumes.

PAR PORTION	
Calories	456
Protéines	39 g
M.G.	12 g
Glucides	48 g
Fibres	3 g
Fer	6 mg
Calcium	62 mg
Sodium	1124 mg

Lo mein

Préparation **25 minutes** / Cuisson à faible intensité **6 heures**
Cuisson à intensité élevée **15 minutes** / Quantité **6 portions**

15 ml (1 c. à soupe) d'huile de sésame

600 g (environ 1 ⅓ lb) de surlonge de bœuf coupée en lanières

500 ml (2 tasses) de brocoli coupé en petits bouquets

20 pois mange-tout

2 oignons verts coupés en tronçons

1 carotte coupée en juliennes

1 poivron rouge coupé en cubes

1 branche de céleri émincée

10 ml (2 c. à thé) de fécule de maïs

300 g (⅔ de lb) de nouilles à l'orientale (de type Yet-Ca-Mein)

30 ml (2 c. à soupe) de feuilles de coriandre fraîche

Pour la sauce :

500 ml (2 tasses) de bouillon de bœuf sans sel ajouté

80 ml (⅓ de tasse) de sauce soya réduite en sodium

30 ml (2 c. à soupe) de cassonade

30 ml (2 c. à soupe) de sauce aux huîtres

15 ml (1 c. à soupe) de gingembre râpé

15 ml (1 c. à soupe) d'ail haché

15 ml (1 c. à soupe) d'huile de sésame

15 ml (1 c. à soupe) de sauce de poisson

5 ml (1 c. à thé) de sriracha

1. Dans une grande mijoteuse, mélanger les ingrédients de la sauce.

2. Dans une grande poêle, chauffer l'huile à feu moyen. Faire dorer les lanières de bœuf de 1 à 2 minutes de chaque côté. Transférer les lanières de bœuf dans la mijoteuse.

3. Couvrir et cuire de 6 à 7 heures à faible intensité.

4. Ajouter les légumes et la fécule de maïs dans la mijoteuse. Remuer. Couvrir et poursuivre la cuisson de 15 à 20 minutes à intensité élevée, en remuant quelques fois en cours de cuisson.

5. Dans une casserole d'eau bouillante salée, cuire les pâtes *al dente*. Égoutter. Ajouter les pâtes dans la mijoteuse et remuer. Garnir de coriandre.

Pains et desserts

Du pain au fromage à la tarte au sucre : c'est tellement facile de s'improviser boulanger ou pâtissier quand on possède une mijoteuse pour nous aider ! Avec les recettes des pages qui suivent, vous verrez que votre appareil est une vraie petite merveille pour concocter des gourmandises sans pareilles !

PAR PORTION 1 tranche	
Calories	161
Protéines	4 g
M.G.	4 g
Glucides	28 g
Fibres	2 g
Fer	1 mg
Calcium	8 mg
Sodium	198 mg

Pain avoine et miel

Préparation **20 minutes** / Cuisson à intensité élevée **1 heure 30 minutes**
Quantité **12 tranches**

1 sachet de levure instantanée à levée rapide de 8 g

45 ml (3 c. à soupe) de miel

30 ml (2 c. à soupe) d'huile de canola

560 ml (2 ¼ tasses) de farine tout usage

250 ml (1 tasse) de flocons d'avoine à cuisson rapide

5 ml (1 c. à thé) de sel

1. Couvrir l'intérieur d'une grande mijoteuse de papier parchemin.

2. Dans un bol, mélanger la levure avec le miel, l'huile et 250 ml (1 tasse) d'eau tiède. Laisser reposer 5 minutes.

3. Dans un grand bol, mélanger la farine avec les flocons d'avoine et le sel.

4. Incorporer la préparation à la levure aux ingrédients secs et remuer jusqu'à l'obtention d'une pâte homogène.

5. Sur le plan de travail fariné, pétrir la pâte environ 10 minutes jusqu'à l'obtention d'une boule de pâte souple et élastique. Si la pâte est trop collante, ajouter de la farine.

6. Déposer la boule de pâte dans la mijoteuse. Pour éviter que le pain ne devienne humide, placer un linge au-dessus de l'ouverture de la mijoteuse, sans toucher le pain, en le maintenant en place à l'aide du couvercle.

7. Cuire de 1 heure 30 minutes à 2 heures 30 minutes à intensité élevée, jusqu'à ce que le dessous et les côtés du pain soient dorés.

8. Retirer le pain de la mijoteuse. Si désiré, régler le four à la position « gril » (*broil*) et transférer le pain sur une plaque de cuisson. Faire dorer le dessus du pain de 2 à 3 minutes.

9. Laisser tiédir le pain sur une grille avant de trancher.

PAR PORTION 1 tranche	
Calories	258
Protéines	6 g
M.G.	10 g
Glucides	38 g
Fibres	3 g
Fer	2 mg
Calcium	21 mg
Sodium	202 mg

Pain aux raisins et noix

Préparation **20 minutes** / Cuisson à intensité élevée **1 heure 30 minutes**
Quantité **12 tranches**

1 sachet de levure instantanée à levée rapide de 8 g

15 ml (1 c. à soupe) de miel

30 ml (2 c. à soupe) d'huile d'olive

750 ml (3 tasses) de farine tout usage

15 ml (1 c. à soupe) de sucre

5 ml (1 c. à thé) de sel

5 ml (1 c. à thé) de cannelle

250 ml (1 tasse) de raisins secs

250 ml (1 tasse) de noix de Grenoble hachées

1. Couvrir l'intérieur d'une grande mijoteuse de papier parchemin.

2. Dans un bol, mélanger la levure avec le miel, l'huile et 330 ml (1 ⅓ tasse) d'eau tiède. Laisser reposer 5 minutes.

3. Dans un grand bol, mélanger la farine avec le sucre, le sel et la cannelle.

4. Incorporer la préparation à la levure aux ingrédients secs et remuer jusqu'à l'obtention d'une pâte homogène. Ajouter les raisins secs et les noix de Grenoble. Remuer de nouveau.

5. Sur le plan de travail fariné, pétrir la pâte environ 10 minutes jusqu'à l'obtention d'une boule de pâte souple et élastique. Si la pâte est trop collante, ajouter de la farine.

6. Déposer la boule de pâte dans la mijoteuse. Pour éviter que le pain ne devienne humide, placer un linge au-dessus de l'ouverture de la mijoteuse, sans toucher le pain, en le maintenant en place à l'aide du couvercle.

7. Cuire de 1 heure 30 minutes à 2 heures 30 minutes à intensité élevée, jusqu'à ce que le dessous et les côtés du pain soient dorés.

8. Retirer le pain de la mijoteuse. Si désiré, régler le four à la position « gril » (*broil*) et transférer le pain sur une plaque de cuisson. Faire dorer le dessus du pain de 2 à 3 minutes.

9. Laisser tiédir le pain sur une grille avant de trancher.

« Ce pain est tout simplement incroyable ! Je n'ai vraiment pas été déçue ! C'est tellement simple et rapide de faire son propre pain à la mijoteuse, en plus de nous rendre tellement fiers. Et pendant la cuisson, ça sent tellement bon dans la maison ! »

PAR PORTION 1 tranche	
Calories	208
Protéines	8 g
M.G.	8 g
Glucides	26 g
Fibres	1 g
Fer	2 mg
Calcium	123 mg
Sodium	293 mg

Pain au fromage

Préparation **20 minutes** / Cuisson à intensité élevée **1 heure 30 minutes**
Quantité **12 tranches**

1 sachet de levure instantanée à levée rapide de 8 g

30 ml (2 c. à soupe) d'huile d'olive

750 ml (3 tasses) de farine tout usage

30 ml (2 c. à soupe) de sucre

5 ml (1 c. à thé) de sel

180 ml (3/4 de tasse) de gruyère râpé

180 ml (3/4 de tasse) de cheddar fort râpé

1. Couvrir l'intérieur d'une grande mijoteuse de papier parchemin.

2. Dans un bol, mélanger la levure avec l'huile et 330 ml (1 1/3 tasse) d'eau tiède. Laisser reposer 5 minutes.

3. Dans un grand bol, mélanger la farine avec le sucre et le sel.

4. Incorporer la préparation à la levure, le gruyère et le cheddar aux ingrédients secs et remuer jusqu'à l'obtention d'une pâte homogène.

5. Sur le plan de travail fariné, pétrir la pâte environ 10 minutes jusqu'à l'obtention d'une boule de pâte souple et élastique. Si la pâte est trop collante, ajouter de la farine.

6. Déposer la boule de pâte dans la mijoteuse. À l'aide d'un petit couteau, faire quatre incisions peu profondes sur le dessus de la pâte. Pour éviter que le pain ne devienne humide, placer un linge au-dessus de l'ouverture de la mijoteuse, sans toucher le pain, en le maintenant en place à l'aide du couvercle.

7. Cuire de 1 heure 30 minutes à 2 heures 30 minutes à intensité élevée, jusqu'à ce que le dessous et les côtés du pain soient dorés.

8. Retirer le pain de la mijoteuse. Si désiré, régler le four à la position « gril » (*broil*) et transférer le pain sur une plaque de cuisson. Faire dorer le dessus du pain de 2 à 3 minutes.

9. Laisser tiédir le pain sur une grille avant de trancher.

PAR PORTION 1 tranche	
Calories	174
Protéines	5 g
M.G.	5 g
Glucides	27 g
Fibres	1 g
Fer	2 mg
Calcium	11 mg
Sodium	241 mg

Pain au basilic et pesto de tomates

Préparation **20 minutes** / Cuisson à intensité élevée **1 heure 30 minutes**
Quantité **12 tranches**

1 sachet de levure instantanée à levée rapide de 8 g

15 ml (1 c. à soupe) d'huile d'olive

750 ml (3 tasses) de farine tout usage

30 ml (2 c. à soupe) de sucre

5 ml (1 c. à thé) de sel

80 ml (⅓ de tasse) de pesto de tomates séchées

7,5 ml (½ c. à soupe) de basilic séché

1. Couvrir l'intérieur d'une grande mijoteuse de papier parchemin.

2. Dans un bol, mélanger la levure avec l'huile et 330 ml (1 ⅓ tasse) d'eau tiède. Laisser reposer 5 minutes.

3. Dans un grand bol, mélanger la farine avec le sucre et le sel.

4. Incorporer la préparation à la levure et le pesto aux ingrédients secs et remuer jusqu'à l'obtention d'une pâte homogène.

5. Sur le plan de travail fariné, pétrir la pâte environ 10 minutes jusqu'à l'obtention d'une boule de pâte souple et élastique. Si la pâte est trop collante, ajouter de la farine.

6. Déposer la boule de pâte dans la mijoteuse et parsemer de basilic. Pour éviter que le pain ne devienne humide, placer un linge au-dessus de l'ouverture de la mijoteuse, sans toucher le pain, en le maintenant en place à l'aide du couvercle.

7. Cuire de 1 heure 30 minutes à 2 heures 30 minutes à intensité élevée, jusqu'à ce que le dessous et les côtés du pain soient dorés.

8. Retirer le pain de la mijoteuse. Si désiré, régler le four à la position « gril » (*broil*) et transférer le pain sur une plaque de cuisson. Faire dorer le dessus du pain de 2 à 3 minutes.

9. Laisser tiédir le pain sur une grille avant de trancher.

PAR PORTION 1 tranche	
Calories	359
Protéines	7 g
M.G.	14 g
Glucides	52 g
Fibres	3 g
Fer	4 mg
Calcium	41 mg
Sodium	255 mg

Pain chocolat et orange

Préparation **25 minutes** / Cuisson à intensité élevée **2 heures** / Quantité **10 tranches**

1 sachet de levure instantanée à levée rapide de 8 g

30 ml (2 c. à soupe) d'huile d'olive

60 ml (¼ de tasse) de sucre

750 ml (3 tasses) de farine tout usage

5 ml (1 c. à thé) de sel

30 ml (2 c. à soupe) de zestes d'orange

250 ml (1 tasse) de tartinade de chocolat et noisettes

1. Couvrir l'intérieur d'une grande mijoteuse de papier parchemin.

2. Dans un bol, mélanger la levure avec l'huile, la moitié du sucre et 330 ml (1 ⅓ tasse) d'eau tiède. Laisser reposer 5 minutes.

3. Dans un grand bol, mélanger la farine avec le reste du sucre, le sel et les zestes d'orange.

4. Incorporer la préparation à la levure aux ingrédients secs et remuer jusqu'à l'obtention d'une pâte homogène.

5. Sur le plan de travail fariné, pétrir la pâte environ 10 minutes jusqu'à l'obtention d'une boule de pâte souple et élastique. Si la pâte est trop collante, ajouter de la farine.

6. À l'aide d'un rouleau à pâtisserie, abaisser la pâte en un rectangle d'environ 30 cm x 40 cm (12 po x 16 po).

7. À l'aide d'une spatule, étaler la tartinade sur toute la surface de la pâte, en laissant un pourtour libre d'environ 1 cm (½ po).

8. Rouler la pâte sur la largeur de manière à obtenir un cylindre. À l'aide d'un couteau, couper le cylindre de pâte en deux sur la longueur, en laissant environ 2,5 cm (1 po) de pâte non coupée à une extrémité.

9. Tresser les deux bandes de pâte. Enrouler la pâte tressée pour former un pain légèrement ovale.

10. Déposer le pain dans la mijoteuse. Pour éviter que le pain ne devienne humide, placer un linge au-dessus de l'ouverture de la mijoteuse, sans toucher la pâte, en le maintenant en place à l'aide du couvercle.

11. Cuire de 2 heures à 2 heures 30 minutes à intensité élevée, jusqu'à ce que le dessous et les côtés du pain soient dorés.

12. Retirer le pain de la mijoteuse. Laisser tiédir sur une grille avant de trancher.

PAR PORTION 1 tranche	
Calories	353
Protéines	6 g
M.G.	15 g
Glucides	50 g
Fibres	2 g
Fer	2 mg
Calcium	90 mg
Sodium	313 mg

Pain aux bananes

Préparation **20 minutes** / Cuisson à faible intensité **3 heures 15 minutes**
Quantité **10 tranches**

500 ml (2 tasses) de farine tout usage

10 ml (2 c. à thé) de poudre à pâte

2,5 ml (½ c. à thé) de bicarbonate de soude

5 ml (1 c. à thé) de cannelle

1,25 ml (¼ de c. à thé) de sel

125 ml (½ tasse) de beurre ramolli

250 ml (1 tasse) de sucre

5 ml (1 c. à thé) d'extrait de vanille

2 œufs

3 bananes écrasées

180 ml (¾ de tasse) d'amandes hachées grossièrement

1. Couvrir l'intérieur d'une grande mijoteuse de papier parchemin.

2. Dans un bol, mélanger la farine avec la poudre à pâte, le bicarbonate de soude, la cannelle et le sel.

3. Dans un autre bol, fouetter le beurre avec le sucre et la vanille à l'aide du batteur électrique, jusqu'à l'obtention d'une préparation crémeuse. Ajouter les œufs un à un dans le bol et fouetter jusqu'à ce que la préparation soit homogène. Ajouter les bananes et fouetter de nouveau.

4. Incorporer graduellement les ingrédients secs aux ingrédients humides en fouettant à basse vitesse à l'aide du batteur électrique.

5. Ajouter les amandes. Remuer à l'aide d'une cuillère en bois, jusqu'à l'obtention d'une préparation homogène.

6. Transférer la préparation dans la mijoteuse. Pour éviter que le pain ne devienne humide, placer un linge au-dessus de l'ouverture de la mijoteuse, sans toucher la pâte, en le maintenant en place à l'aide du couvercle.

7. Cuire de 3 heures 15 minutes à 3 heures 45 minutes à faible intensité, jusqu'à ce qu'un cure-dent inséré au centre du pain en ressorte propre.

« Ce pain est vraiment bon, et on goûte très bien les bananes. En plus, sa texture est encore plus moelleuse que celle d'un pain aux bananes cuit au four ! J'aime les recettes qui me permettent de me sauver du four ; pas besoin de surveillance, ça cuit tout seul ! »

PAR PORTION 1 brioche	
Calories	451
Protéines	7 g
M.G.	19 g
Glucides	64 g
Fibres	2 g
Fer	2 mg
Calcium	69 mg
Sodium	223 mg

Brioches aux framboises et chocolat

Préparation **25 minutes** / Temps de repos **15 minutes**
Cuisson à intensité élevée **1 heure 30 minutes** / Quantité **12 brioches**

180 ml (3/4 de tasse) de lait 2 % tiède

1 sachet de levure instantanée à levée rapide de 8 g

60 ml (1/4 de tasse) de sucre

2,5 ml (1/2 c. à thé) de sel

45 ml (3 c. à soupe) de beurre fondu

1 œuf

680 ml (2 3/4 tasses) de farine tout usage

Pour la garniture :

250 ml (1 tasse) de framboises écrasées

250 ml (1 tasse) de mini-pépites de chocolat noir

160 ml (2/3 de tasse) de cassonade

125 ml (1/2 tasse) de beurre ramolli

Pour le glaçage :

375 ml (1 1/2 tasse) de sucre à glacer

30 ml (2 c. à soupe) de jus de citron frais

30 ml (2 c. à soupe) de lait 2 %

1. Couvrir l'intérieur d'une grande mijoteuse de papier parchemin.

2. Dans un bol, mélanger le lait avec la levure. Laisser reposer de 5 à 8 minutes.

3. Ajouter le sucre, le sel, le beurre et l'œuf dans le bol. Remuer. Incorporer graduellement la farine en remuant.

4. Sur le plan de travail fariné, pétrir la pâte de 2 à 3 minutes jusqu'à l'obtention d'une boule de pâte élastique. Si la pâte est trop collante, ajouter de la farine. Laisser reposer 10 minutes.

5. Dans un deuxième bol, mélanger les ingrédients de la garniture.

6. Sur le plan de travail légèrement fariné, abaisser la pâte en un rectangle de 33 cm x 25 cm (13 po x 10 po).

7. Étaler la garniture sur la pâte. Rouler la pâte sur la longueur de manière à obtenir un cylindre, puis couper le cylindre en douze rondelles.

8. Déposer les rondelles de pâte côte à côte dans la mijoteuse. Pour éviter que les brioches ne deviennent trop humides, placer un linge au-dessus de l'ouverture de la mijoteuse, sans toucher les brioches, en le maintenant en place à l'aide du couvercle.

9. Cuire de 1 heure 30 minutes à 2 heures à intensité élevée.

10. Retirer les brioches de la mijoteuse et laisser tiédir. Si désiré, régler le four à la position « gril » (*broil*) et transférer les brioches sur une plaque de cuisson. Faire dorer les brioches de 1 à 2 minutes. Retirer du four et laisser tiédir.

11. Dans un bol, mélanger les ingrédients du glaçage. Napper les brioches de glaçage.

PAR PORTION	
Calories	407
Protéines	7 g
M.G.	26 g
Glucides	38 g
Fibres	2 g
Fer	1 mg
Calcium	85 mg
Sodium	350 mg

Gâteau au fromage aux pêches

Préparation **30 minutes** / Cuisson à intensité élevée **1 heure 45 minutes**
Temps de repos **1 heure** / Réfrigération **5 heures** / Quantité **10 portions**

250 ml (1 tasse) de chapelure de biscuits Graham

60 ml (¼ de tasse) de beurre fondu

170 ml (½ tasse + 3 c. à soupe) de sucre

1,25 ml (¼ de c. à thé) de sel

2 paquets de fromage à la crème de 250 g chacun, ramolli

30 ml (2 c. à soupe) de farine tout usage

5 ml (1 c. à thé) d'extrait de vanille

3 œufs tempérés et battus

125 ml (½ tasse) de crème sure 14 %

Pour la garniture aux pêches :

80 ml (⅓ de tasse) de sucre

1,25 ml (¼ de c. à thé) d'extrait de vanille

4 pêches pelées et coupées en dés

7,5 ml (½ c. à soupe) de fécule de maïs

1. Vaporiser un moule à charnière d'environ 15 cm (6 po) de diamètre d'enduit à cuisson.

2. Verser de l'eau chaude dans une grande mijoteuse, jusqu'à ce qu'il y ait environ 1,5 cm (environ ½ po) d'eau dans la mijoteuse. Déposer trois boules de papier d'aluminium de 2,5 cm (1 po) de hauteur au centre de la mijoteuse.

3. Dans un bol, mélanger la chapelure de biscuits Graham avec le beurre, 45 ml (3 c. à soupe) de sucre et le sel. Transvider la préparation dans le moule et l'étaler en pressant fermement afin de l'égaliser et en la faisant remonter légèrement sur les côtés.

4. Dans le contenant du robot culinaire, déposer le fromage à la crème, le reste du sucre, la farine, la vanille, les œufs et la crème sure. Mélanger jusqu'à l'obtention d'une préparation lisse et onctueuse.

5. Transvider la préparation au fromage à la crème sur la croûte de biscuits Graham. Égaliser la surface.

6. Déposer le moule sur les boules de papier d'aluminium, en s'assurant qu'il soit stable. Pour éviter que le gâteau ne devienne humide, placer un linge au-dessus de l'ouverture de la mijoteuse, sans toucher le gâteau, en le maintenant en place à l'aide du couvercle.

7. Cuire de 1 heure 45 minutes à 2 heures 45 minutes à intensité élevée, jusqu'à ce qu'un thermomètre à cuisson inséré au centre du gâteau indique une température de 70 °C (158 °F).

8. Éteindre la mijoteuse et laisser reposer le gâteau 1 heure. Ne pas retirer le couvercle.

9. Placer le gâteau au réfrigérateur et laisser refroidir 4 heures, ou toute une nuit.

10. Dans une casserole, mélanger le sucre avec la vanille et 60 ml (¼ de tasse) d'eau. Porter à ébullition.

11. Ajouter les pêches dans la casserole. Porter de nouveau à ébullition, puis laisser mijoter de 10 à 15 minutes à feu doux-moyen, en remuant de temps en temps.

12. Dans un bol, délayer la fécule de maïs dans 30 ml (2 c. à soupe) d'eau. Ajouter la fécule délayée dans la casserole et poursuivre la cuisson de 1 à 2 minutes, jusqu'à ce que la garniture ait épaissi.

13. Transvider la garniture dans un contenant. Couvrir et laisser reposer de 1 à 2 heures au frais.

14. Au moment de servir, démouler le gâteau et garnir de la garniture aux pêches.

« Puisqu'elle permet une cuisson douce, lente et constante, la mijoteuse est l'appareil tout indiqué pour un gâteau au fromage lisse et onctueux, sans brunissements ni crevasses. Ce gâteau a une magnifique texture et il n'a même pas craqué ! Comme je suis cœliaque, je l'ai fait avec de la chapelure sans gluten et c'était très bon ! »

Pouding aux fraises

Préparation **25 minutes** / Cuisson à intensité élevée **1 heure 30 minutes**
Quantité **8 portions**

PAR PORTION	
Calories	385
Protéines	5 g
M.G.	8 g
Glucides	75 g
Fibres	3 g
Fer	2 mg
Calcium	159 mg
Sodium	327 mg

60 ml (¼ de tasse) de beurre ramolli

250 ml (1 tasse) de sucre

1 œuf

180 ml (¾ de tasse) de lait 2 %

5 ml (1 c. à thé) d'extrait de vanille

375 ml (1 ½ tasse) de farine tout usage

15 ml (1 c. à soupe) de poudre à pâte

1,25 ml (¼ de c. à thé) de sel

Pour la garniture aux fraises :

1,5 litre (6 tasses) de fraises coupées en quartiers

180 ml (¾ de tasse) de sucre

30 ml (2 c. à soupe) de jus de citron frais

15 ml (1 c. à soupe) de fécule de maïs

1. Dans une casserole, porter à ébullition les ingrédients de la garniture aux fraises à feu moyen, en remuant constamment.

2. Beurrer l'intérieur d'une grande mijoteuse, puis y verser la préparation aux fraises.

3. Dans un grand bol, fouetter le beurre avec le sucre à l'aide du batteur électrique, jusqu'à l'obtention d'une texture crémeuse. Incorporer l'œuf, le lait et la vanille en fouettant.

4. Dans un autre bol, mélanger la farine avec la poudre à pâte et le sel.

5. Incorporer graduellement les ingrédients secs aux ingrédients humides et remuer jusqu'à l'obtention d'une pâte homogène.

6. À l'aide d'une cuillère à crème glacée, déposer des boules de pâte sur la préparation aux fraises. Pour éviter que la pâte ne devienne humide, placer un linge au-dessus de l'ouverture de la mijoteuse, sans toucher la pâte, en le maintenant en place à l'aide du couvercle.

7. Cuire de 1 heure 30 minutes à 2 heures à intensité élevée. Retirer le couvercle et laisser tiédir.

8. Si désiré, régler le four à la position « gril » (*broil*). Placer le contenant de la mijoteuse dans le four, puis faire dorer le dessus du pouding de 1 à 2 minutes.

PAR PORTION	
Calories	729
Protéines	10 g
M.G.	44 g
Glucides	76 g
Fibres	6 g
Fer	7 mg
Calcium	74 mg
Sodium	342 mg

Gâteau-brownie au fromage à la crème

Préparation **25 minutes** / Cuisson à faible intensité **3 heures**
Temps de repos **1 heure** / Quantité **12 portions**

500 ml (2 tasses) de chocolat noir 70 % haché

250 ml (1 tasse) de beurre coupé en cubes

375 ml (1 ½ tasse) de farine tout usage

125 ml (½ tasse) de cacao

2,5 ml (½ c. à thé) de sel

4 œufs

500 ml (2 tasses) de sucre

5 ml (1 c. à thé) d'extrait de vanille

Pour la garniture au fromage à la crème :

1 paquet de fromage à la crème de 250 g, ramolli

2 œufs

90 ml (6 c. à soupe) de sucre

2,5 ml (½ c. à thé) d'extrait de vanille

1. Couvrir l'intérieur d'une grande mijoteuse de papier parchemin.

2. Dans un bol, fouetter le fromage à la crème avec les œufs, le sucre et la vanille à l'aide du batteur électrique, jusqu'à l'obtention d'une préparation lisse et homogène. Réserver.

3. Dans un bain-marie ou au micro-ondes, faire fondre le chocolat noir avec les cubes de beurre. Laisser tiédir environ 5 minutes.

4. Dans un deuxième bol, mélanger la farine avec le cacao et le sel.

5. Dans un troisième bol, fouetter les œufs avec le sucre et la vanille à l'aide du batteur électrique nettoyé.

6. Ajouter la préparation au chocolat fondu dans le troisième bol en fouettant. Incorporer les ingrédients secs et remuer jusqu'à l'obtention d'une préparation homogène.

7. Transférer 250 ml (1 tasse) de préparation dans un quatrième bol, puis y ajouter 60 ml (¼ de tasse) d'eau. Remuer et réserver.

8. Verser le reste de la préparation dans la mijoteuse, puis couvrir de la préparation au fromage à la crème. Couvrir de la préparation au chocolat réservée.

9. À l'aide de la pointe d'un couteau, faire des mouvements en spirale dans la préparation afin d'obtenir un effet marbré. Pour éviter que le gâteau ne devienne humide, placer un linge au-dessus de l'ouverture de la mijoteuse, sans toucher le gâteau, en le maintenant en place à l'aide du couvercle.

10. Cuire de 3 heures à 3 heures 30 minutes à faible intensité, jusqu'à ce que le pourtour du gâteau soit cuit, mais que le centre soit encore fondant.

11. Retirer le contenant de la mijoteuse. Remettre le couvercle sur le contenant et laisser tiédir 1 heure à température ambiante.

« Gourmand, moelleux et absolument exquis... Ce gâteau-brownie est un coup de cœur unanime pour toute l'équipe ! Ça vaut vraiment la peine de se gâter et de cuisiner ce type de dessert (même s'il est plutôt calorique) quand on a envie de se faire plaisir. »

PAR PORTION	
Calories	389
Protéines	8 g
M.G.	15 g
Glucides	59 g
Fibres	6 g
Fer	2 mg
Calcium	66 mg
Sodium	59 mg

Croustade aux fruits

Préparation **15 minutes** / Cuisson à intensité élevée **2 heures 30 minutes**
Quantité **8 portions**

500 ml (2 tasses) de bleuets

10 pêches pelées et coupées en quartiers (ou 605 g – 1 ⅓ lb de pêches surgelées décongelées)

180 ml (¾ de tasse) de sucre

5 ml (1 c. à thé) d'extrait de vanille

45 ml (3 c. à soupe) de fécule de maïs

30 ml (2 c. à soupe) de jus de citron frais

Pour le crumble :

375 ml (1 ½ tasse) de flocons d'avoine à cuisson rapide

180 ml (¾ de tasse) d'amandes tranchées

80 ml (⅓ de tasse) de beurre ramolli

80 ml (⅓ de tasse) de farine tout usage

60 ml (¼ de tasse) de cassonade

1. Dans un bol, mélanger les ingrédients du crumble.

2. Dans la mijoteuse, mélanger les fruits avec le sucre, la vanille, la fécule de maïs et le jus de citron.

3. Couvrir la préparation aux fruits de crumble. Pour éviter que la croustade ne devienne trop humide, placer un linge au-dessus de l'ouverture de la mijoteuse, sans toucher la croustade, en le maintenant en place à l'aide du couvercle.

4. Cuire 2 heures 30 minutes à intensité élevée.

5. Retirer le couvercle et laisser tiédir.

PAR PORTION	
Calories	320
Protéines	5 g
M.G.	11 g
Glucides	51 g
Fibres	1 g
Fer	3 mg
Calcium	73 mg
Sodium	406 mg

Gâteau moelleux aux épices

Préparation **20 minutes** / Cuisson à intensité élevée **1 heure 30 minutes**
Temps de repos **1 heure** / Quantité **10 portions**

625 ml (2 ½ tasses) de farine tout usage

7,5 ml (½ c. à soupe) de bicarbonate de soude

10 ml (2 c. à thé) de gingembre moulu

7,5 ml (½ c. à soupe) de cannelle

2,5 ml (½ c. à thé) de clous de girofle moulus

2,5 ml (½ c. à thé) de sel

125 ml (½ tasse) de beurre ramolli

125 ml (½ tasse) de cassonade

1 œuf

180 ml (¾ de tasse) de mélasse

5 ml (1 c. à thé) d'extrait de vanille

1. Couvrir l'intérieur d'une grande mijoteuse de papier parchemin.

2. Dans un bol, mélanger la farine avec le bicarbonate de soude, le gingembre, la cannelle, les clous de girofle et le sel.

3. Dans un autre bol, fouetter le beurre avec la cassonade à l'aide du batteur électrique, jusqu'à l'obtention d'une préparation crémeuse. Ajouter l'œuf, la mélasse et la vanille. Fouetter jusqu'à l'obtention d'une préparation homogène.

4. Incorporer les ingrédients secs aux ingrédients humides en remuant. Ajouter 250 ml (1 tasse) d'eau chaude et remuer jusqu'à ce que la préparation soit lisse et onctueuse.

5. Verser la préparation dans la mijoteuse. Pour éviter que le gâteau ne devienne humide, placer un linge au-dessus de l'ouverture de la mijoteuse, sans toucher le gâteau, en le maintenant en place à l'aide du couvercle.

6. Cuire de 1 heure 30 minutes à 2 heures à intensité élevée.

7. Retirer le couvercle, puis le contenant de la mijoteuse et laisser tiédir 1 heure à température ambiante.

En accompagnement

Crème fouettée aux zestes d'orange

Dans un bol, fouetter 375 ml (1 ½ tasse) de crème à fouetter 35 % avec 45 ml (3 c. à soupe) de sucre à glacer et 15 ml (1 c. à soupe) de zestes d'orange à l'aide du batteur électrique, jusqu'à la formation de pics fermes.

PAR PORTION	
Calories	500
Protéines	7 g
M.G.	17 g
Glucides	85 g
Fibres	0 g
Fer	1 mg
Calcium	178 mg
Sodium	355 mg

Tarte au sucre

Préparation **20 minutes** / Cuisson à intensité élevée **1 heure 30 minutes**
Quantité **8 portions**

450 g (1 lb) de pâte à tarte

375 ml (1 ½ tasse) de cassonade

80 ml (⅓ de tasse) de farine tout usage

1 boîte de lait évaporé de 354 ml

180 ml (¾ de tasse) de sirop d'érable

5 ml (1 c. à thé) d'extrait de vanille

1 œuf battu

1. Sur une surface légèrement farinée, abaisser la pâte en un ovale d'un diamètre 5 cm (2 po) plus grand que celui d'une grande mijoteuse.

2. Couvrir l'intérieur de la mijoteuse de papier parchemin, puis y déposer la pâte. Appuyer fermement sur tout le pourtour de la pâte afin d'empêcher la garniture de fuir sur les côtés lors de la cuisson. Couper l'excédent du pourtour de la pâte afin que la tarte ait une profondeur de 5 cm (2 po).

3. Dans une casserole, mélanger la cassonade avec la farine. Ajouter le lait évaporé, le sirop d'érable et la vanille. Porter à ébullition à feu moyen en remuant constamment, jusqu'à épaississement. Retirer du feu et laisser tiédir.

4. Ajouter l'œuf battu dans la casserole et remuer.

5. Verser la préparation dans la mijoteuse. Pour éviter que la tarte ne devienne trop humide, placer un linge au-dessus de l'ouverture de la mijoteuse, sans toucher la tarte, en le maintenant en place à l'aide du couvercle.

6. Cuire de 1 heure 30 minutes à 2 heures 30 minutes à intensité élevée.

7. Retirer le couvercle et laisser tiédir.

PAR PORTION	
Calories	567
Protéines	8 g
M.G.	30 g
Glucides	70 g
Fibres	4 g
Fer	3 mg
Calcium	41 mg
Sodium	538 mg

Biscuit géant aux pépites de chocolat

Préparation **20 minutes** / Cuisson à intensité élevée **2 heures**
Quantité **10 portions**

500 ml (2 tasses) de farine tout usage

500 ml (2 tasses) de gros flocons d'avoine

5 ml (1 c. à thé) de bicarbonate de soude

5 ml (1 c. à thé) de sel

250 ml (1 tasse) de beurre ramolli

180 ml (¾ de tasse) de cassonade

125 ml (½ tasse) de sucre

2 œufs

10 ml (2 c. à thé) d'extrait de vanille

375 ml (1 ½ tasse) de pépites de chocolat mi-sucré

1. Couvrir l'intérieur d'une grande mijoteuse de papier parchemin.

2. Dans un bol, mélanger la farine avec les flocons d'avoine, le bicarbonate de soude et le sel.

3. Dans un autre bol, fouetter le beurre avec la cassonade et le sucre à l'aide du batteur électrique, jusqu'à l'obtention d'une préparation crémeuse. Ajouter les œufs et la vanille. Fouetter jusqu'à l'obtention d'une préparation homogène.

4. Incorporer graduellement les ingrédients secs aux ingrédients humides en fouettant à basse vitesse à l'aide du batteur électrique.

5. Ajouter les pépites de chocolat et remuer à l'aide d'une cuillère en bois.

6. Transvider la préparation dans la mijoteuse et égaliser la surface. Pour éviter que le biscuit ne devienne humide, placer un linge au-dessus de l'ouverture de la mijoteuse, sans toucher le biscuit, et le maintenir en place à l'aide du couvercle de la mijoteuse.

7. Cuire de 2 heures à 2 heures 30 minutes à intensité élevée, jusqu'à ce que le pourtour du biscuit soit légèrement doré et que le centre soit cuit.

8. Retirer le biscuit de la mijoteuse et laisser tiédir sur une grille.

Index des recettes

Entrées

Pains

Soupes

Plats principaux

Bœuf, porc et veau

Pâtes, pizza et gratin

Végé

Volaille

Accompagnements

Desserts

122

142

80

Une réalisation de

PRATICO
EDITION